GRATON LAVEUR
L'ALIMENTATION

éditions
BRAVO!

Publié par les Éditions Bravo!, une division de
LES PUBLICATIONS MODUS VIVENDI INC.
55, rue Jean-Talon Ouest, 2e étage
Montréal (Québec) H2R 2W8
Canada

www.editionsbravo.com

Éditeur : Marc Alain
Conception de la couverture : Marc Alain
Conception des jeux : Modus Vivendi

Dépôt légal — Bibliothèque et Archives nationales du Québec, 2010
Dépôt légal — Bibliothèque et Archives Canada, 2010

ISBN 978-2-89670-021-9

Imprimé en Chine

COMMENT JOUER

L'objectif est de remplir les lettres manquantes au bas de la page pour y découvrir le mot mystère. Vous devez deviner le mot mystère en faisant le moins de mauvais choix de lettres possible. Grattez une pastille, au choix, sous une lettre. Si cette lettre figure dans le mot mystère, on vous indiquera où la placer dans l'ordre numéroté au bas de la page. Mais si vous choisissez une lettre qui n'appartient pas au mot mystère, vous obtiendrez une branche que vous devrez ensuite tracer sur l'arbre, et qui fera tomber notre ami le raton un peu plus près de l'étang.

Il y a six branches, donc six chances d'erreurs avant que **GRATON LAVEUR** ne tombe dans l'étang, ou pour découvrir le mot mystère.

Bonne chance !

A	B	C
	7	1, 4

D	E	F
	9	

G	H	I

J	K	L

M	N	O
6	3	2, 5

P	Q	R
		8

S	T	U	V

W	X	Y	Z

C	O	N	C	O	M	B	R	E
1	2	3	4	5	6	7	8	9

A 4 B C

D E 6 F

G H I

J K L

M 3 N O 2

P Q R

S T 1, 5 U V

W X Y Z

T O M A T E

1 2 3 4 5 6

A	B	C
D	**E**	**F**
4	6	1
G	**H**	**I**
J	**K**	**L**
M	**N**	**O**
	3	2
P	**Q**	**R**

S	T	U	V
		5	
W	**X**	**Y**	**Z**

F O N D U E

___ ___ ___ ___ ___ ___
1 2 3 4 5 6

A	B	C	
2	4		
D	E	F	
G	H	I	
J	K	L	
1			
M	N	O	
3	6	5	
P	Q	R	
S	T	U	V
W	X	Y	Z

___ ___ ___ ___ ___ ___
1 2 3 4 5 6

A	B	C
4		
D	**E**	**F**
6	9	1
G	**H**	**I**
		3, 7
J	**K**	**L**
M	**N**	**O**
	5	
P	**Q**	**R**
		2

S	T	U	V
8			
W	**X**	**Y**	**Z**

E	R	I	A	N	D	I	S	E
1	2	3	4	5	6	7	8	9

A B C
D E F
G H I
J K L
M N O
P Q R
S T U V
W X Y Z

___ ___ ___ ___ ___ ___ ___ ___ ___
1 2 3 4 5 6 7 8 9

A
B
C
D
E
F
G
H
I
J
K
L
M
N
O
P
Q
R
S
T
U
V
W
X
Y
Z
1 2 3 4 5 6 7 8

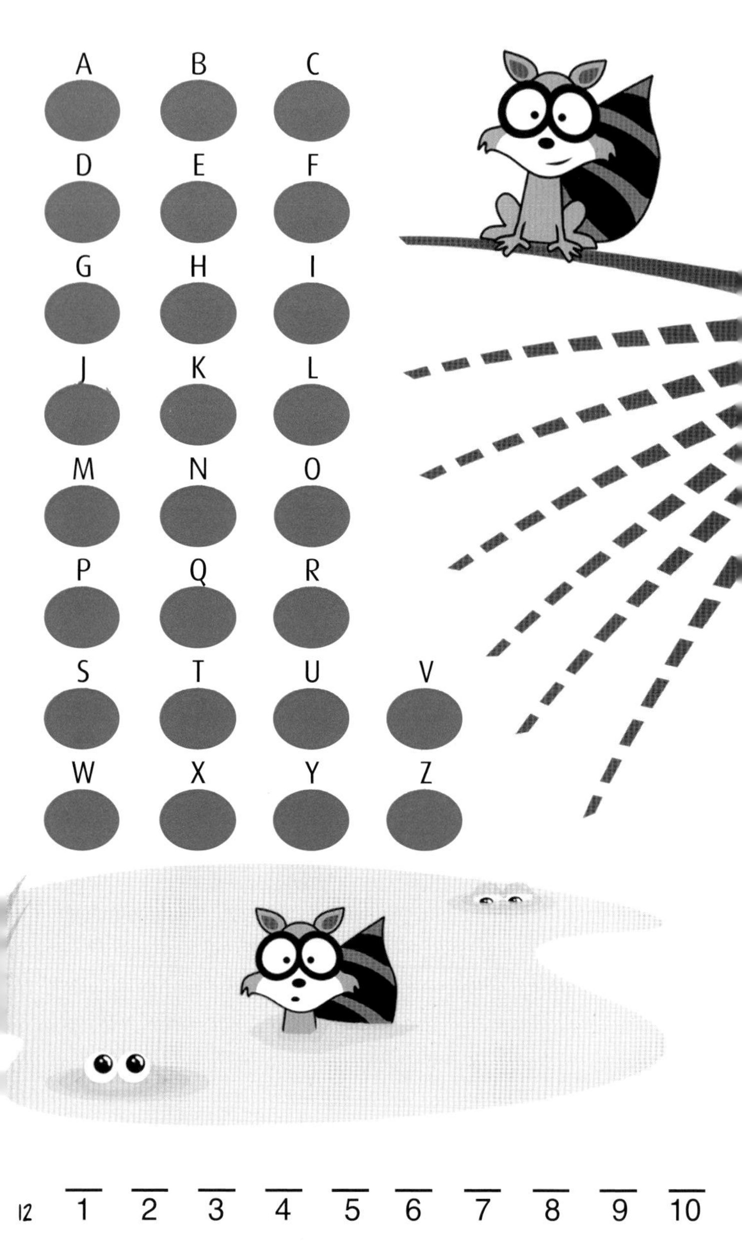
A
B
C
D
E
F
G
H
I
J
K
L
M
N
O
P
Q
R
S
T
U
V
W
X
Y
Z
1
2
3
4
5
6
7
8
9
10

A B C
D E F
G H I
J K L
M N O
P Q R
S T U V
W X Y Z
1 2 3 4 5 6 7 8

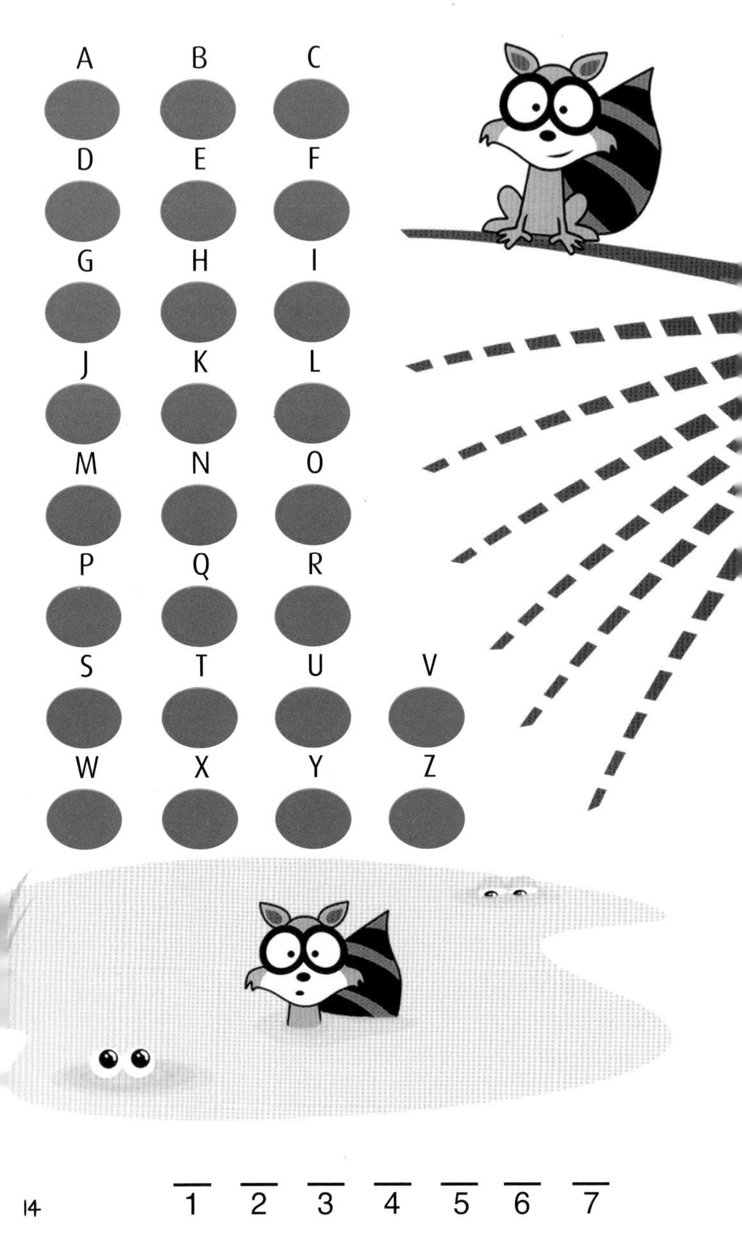
A
B
C
D
E
F
G
H
I
J
K
L
M
N
O
P
Q
R
S
T
U
V
W
X
Y
Z
1
2
3
4
5
6
7

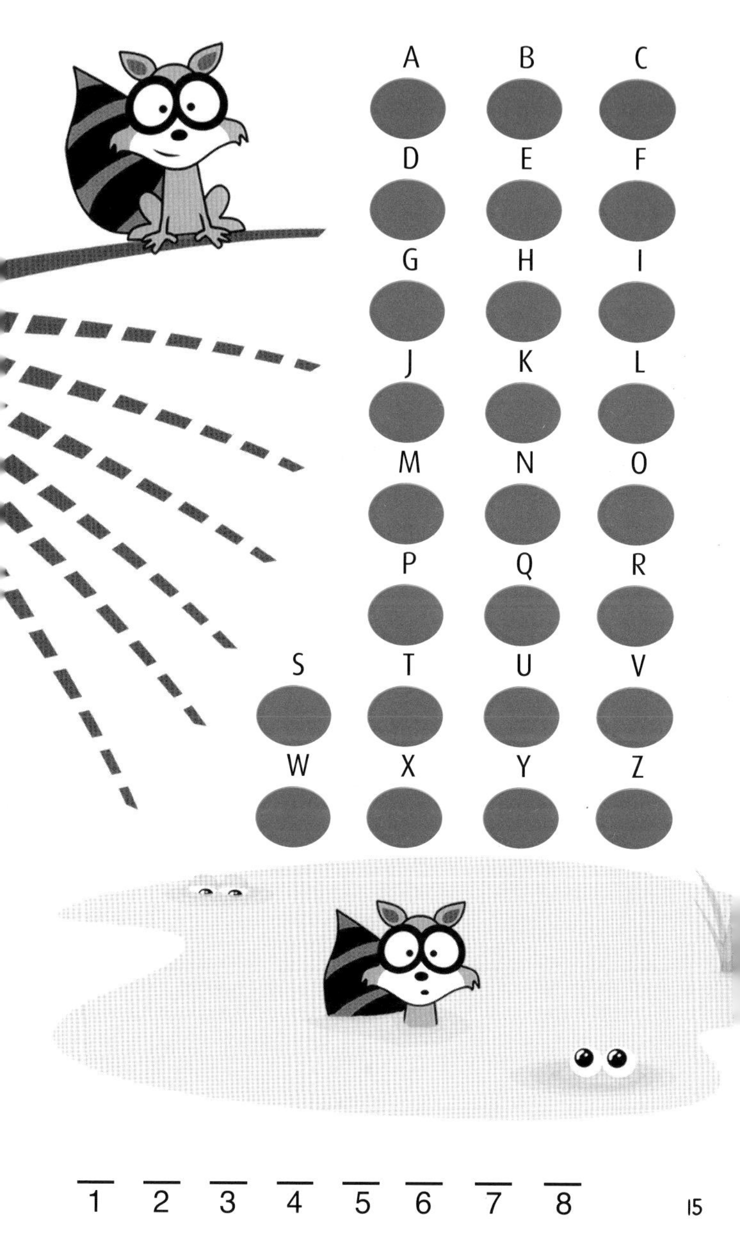
A
B
C
D
E
F
G
H
I
J
K
L
M
N
O
P
Q
R
S
T
U
V
W
X
Y
Z
1 2 3 4 5 6 7 8

A B C
D E F
G H I
J K L
M N O
P Q R
S T U V
W X Y Z

16 $\overline{\quad}$ $\overline{\quad}$ $\overline{\quad}$ $\overline{\quad}$ $\overline{\quad}$ $\overline{\quad}$ $\overline{\quad}$ $\overline{\quad}$
1 2 3 4 5 6 7 8

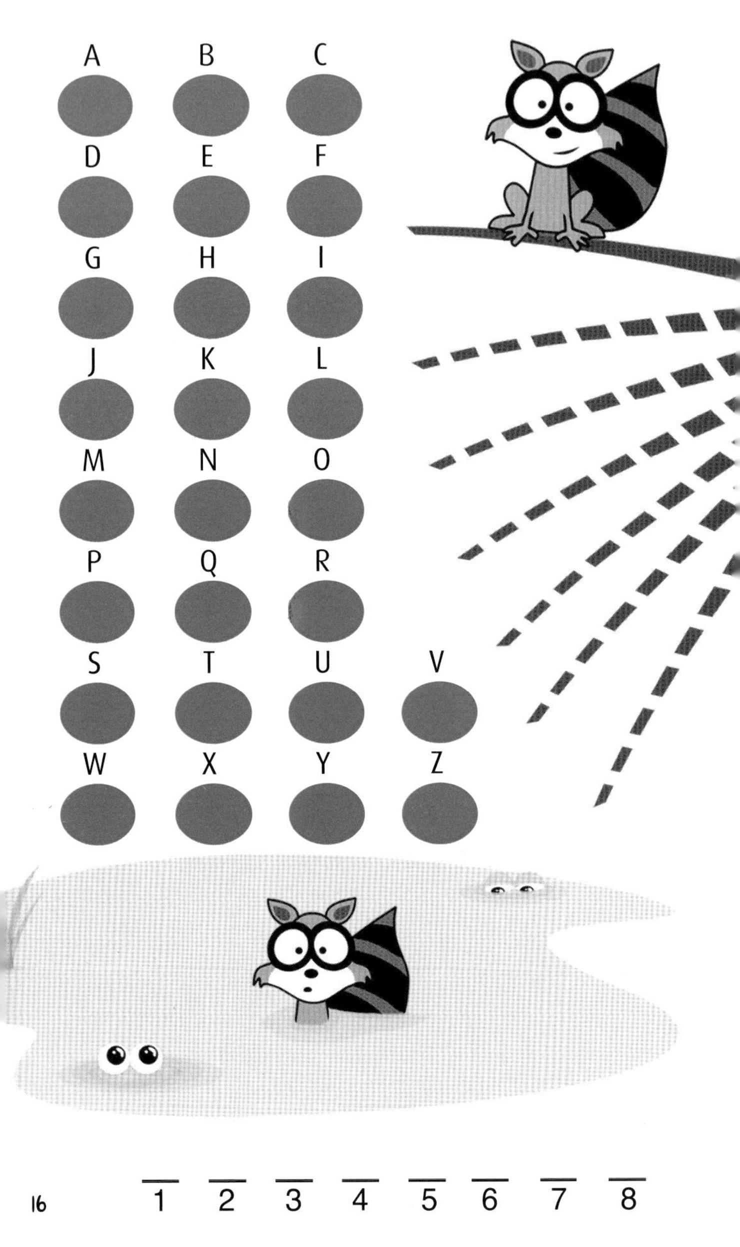

A B C
D E F
G H I
J K L
M N O
P Q R
S T U V
W X Y Z
1 2 3 4 5 6 7

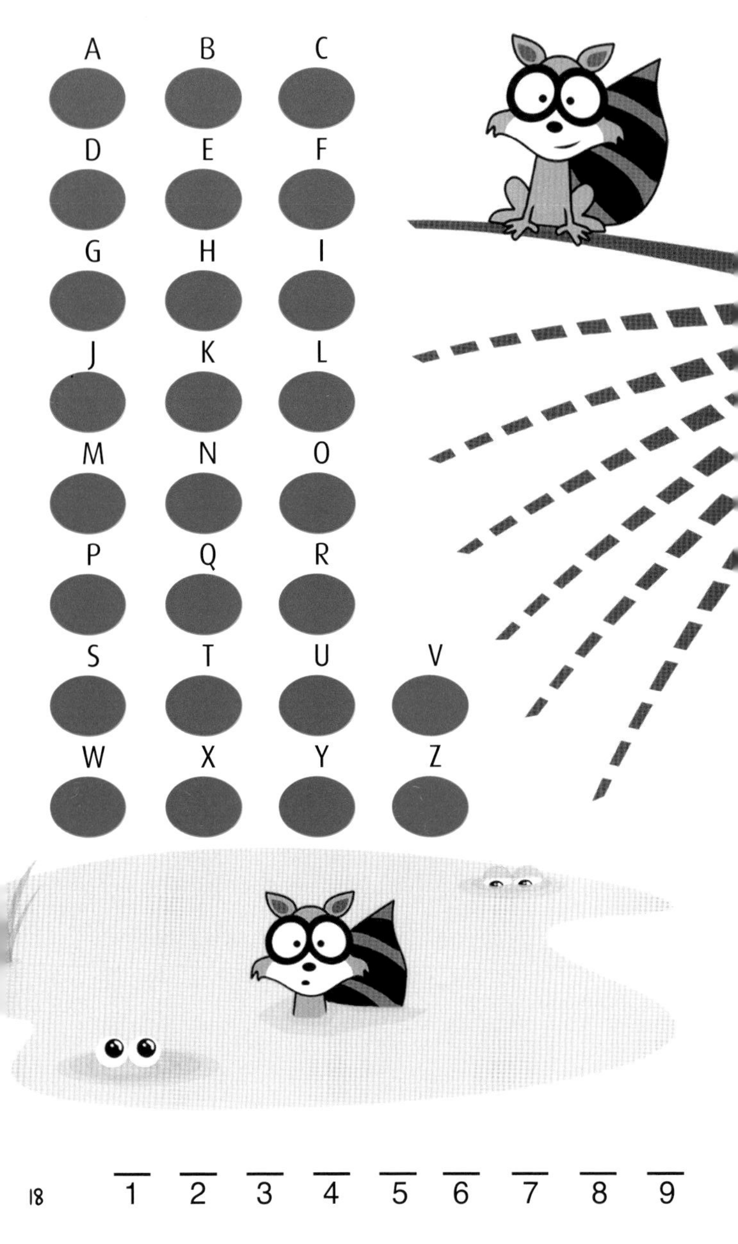
A B C
D E F
G H I
J K L
M N O
P Q R
S T U V
W X Y Z
1 2 3 4 5 6 7 8 9

A
B
C
D
E
F
G
H
I
J
K
L
M
N
O
P
Q
R
S
T
U
V
W
X
Y
Z
1
2
3
4
5
6
7
8
9

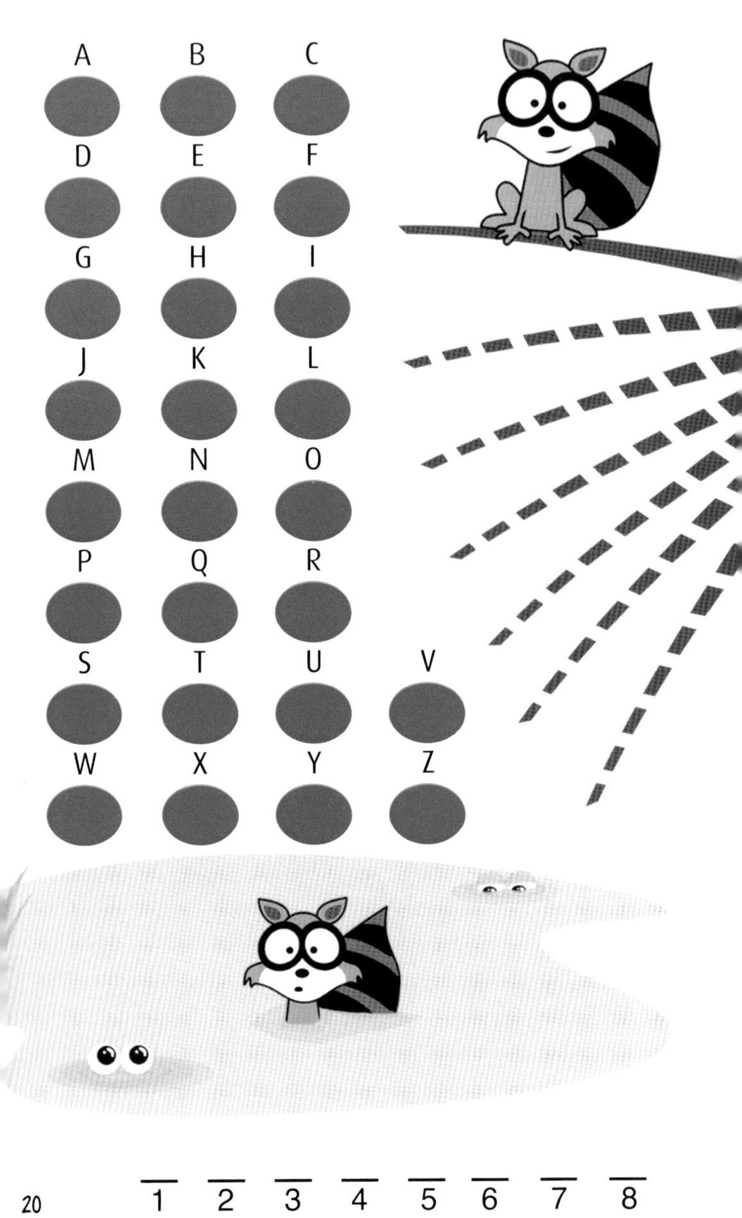
A
B
C
D
E
F
G
H
I
J
K
L
M
N
O
P
Q
R
S
T
U
V
W
X
Y
Z
1
2
3
4
5
6
7
8

A B C
D E F
G H I
J K L
M N O
P Q R
S T U V
W X Y Z
1 2 3 4 5 6 7 8 9

A B C

D E F

G H I

J K L

M N O

P Q R

S T U V

W X Y Z

___ ___ ___ ___ ___ ___
1 2 3 4 5 6

A B C
D E F
G H I
J K L
M N O
P Q R
S T U V
W X Y Z
1 2 3 4 5 6

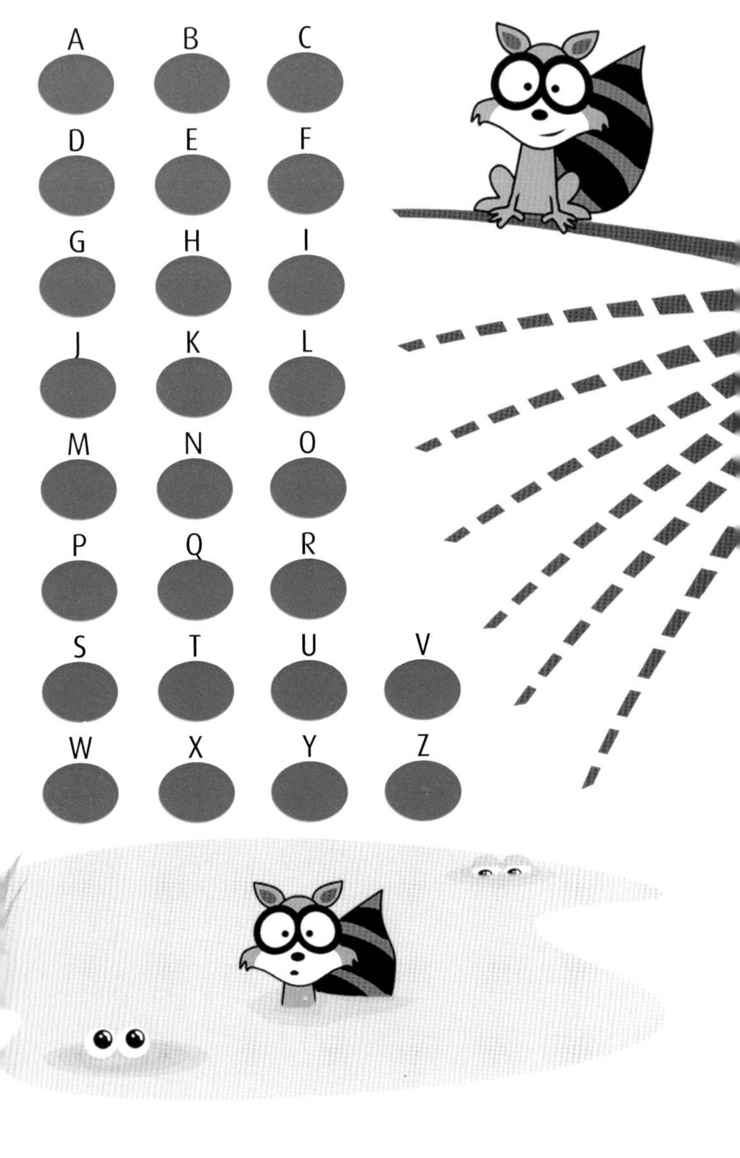

___ ___ ___ ___ ___ ___ ___ ___ ___
1 2 3 4 5 6 7 8 9

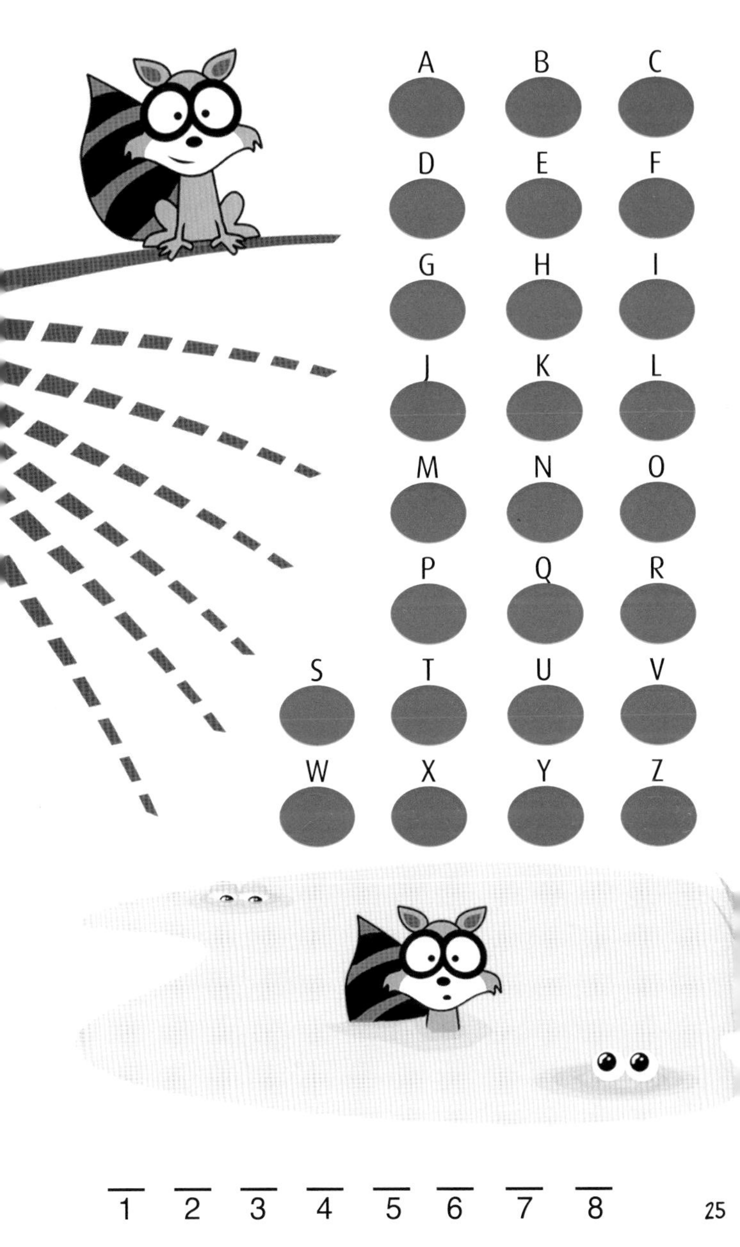
A B C
D E F
G H I
J K L
M N O
P Q R
S T U V
W X Y Z
1 2 3 4 5 6 7 8

A B C
D E F
G H I
J K L
M N O
P Q R
S T U V
W X Y Z
1 2 3 4 5 6 7 8 9

A B C
D E F
G H I
J K L
M N O
P Q R
S T U V
W X Y Z
1 2 3 4 5 6 7

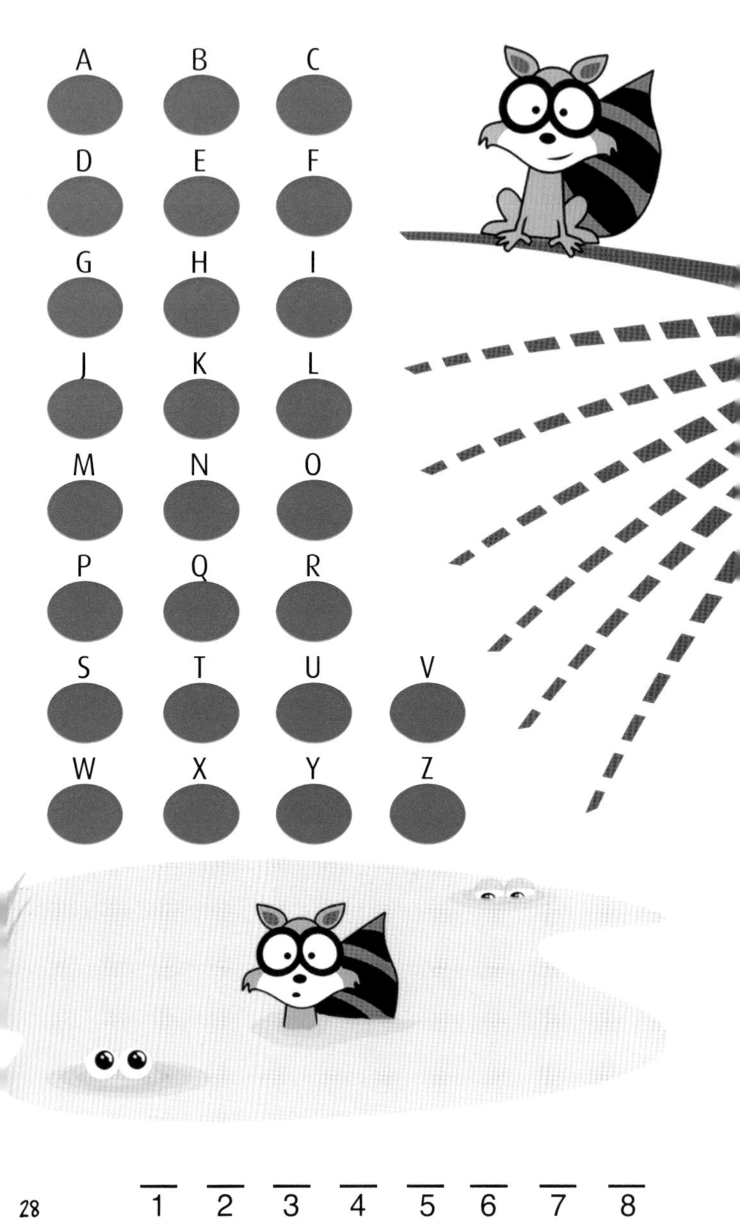
A
B
C
D
E
F
G
H
I
J
K
L
M
N
O
P
Q
R
S
T
U
V
W
X
Y
Z
1
2
3
4
5
6
7
8

A B C
D E F
G H I
J K L
M N O
P Q R
S T U V
W X Y Z
1 2 3 4 5 6 7 8 9

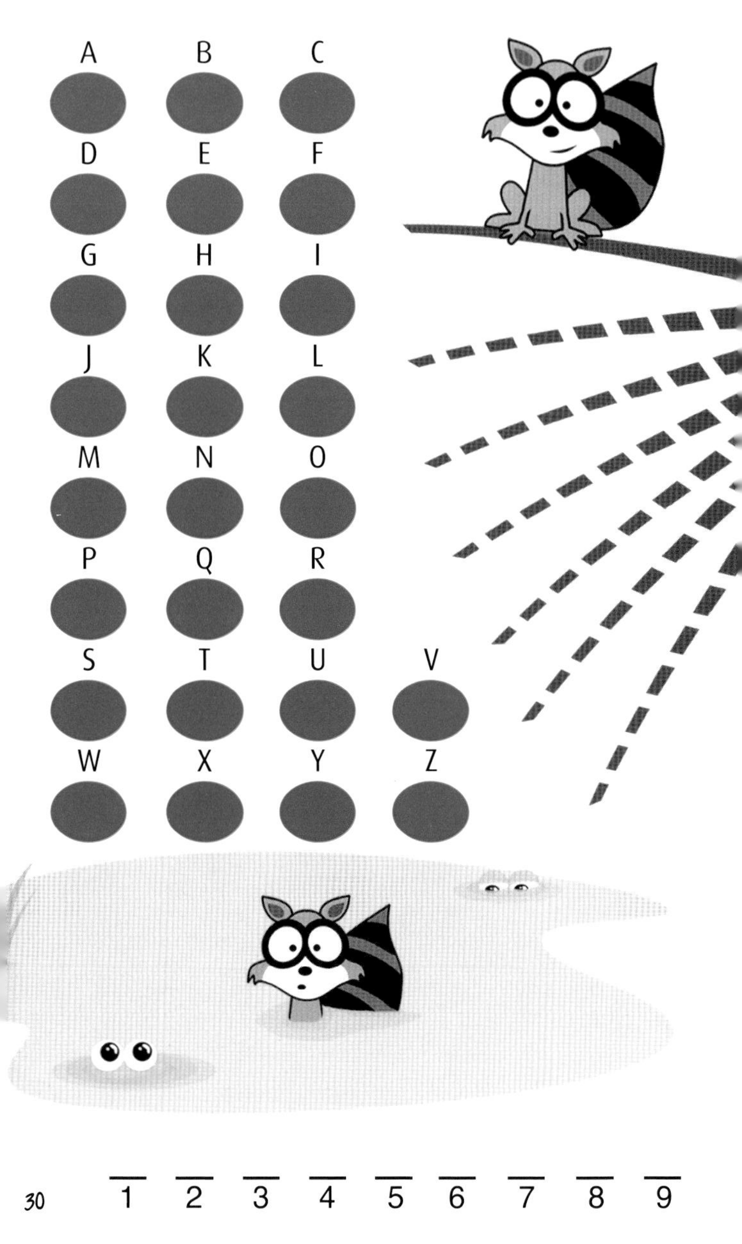
A B C
D E F
G H I
J K L
M N O
P Q R
S T U V
W X Y Z
1 2 3 4 5 6 7 8 9

A
B
C
D
E
F
G
H
I
J
K
L
M
N
O
P
Q
R
S
T
U
V
W
X
Y
Z
1
2
3
4
5
6
7
8

A B C
D E F
G H I
J K L
M N O
P Q R
S T U V
W X Y Z
1 2 3 4 5 6 7 8 9

A B C
D E F
G H I
J K L
M N O
P Q R
S T U V
W X Y Z
1 2 3 4 5 6 7 8 9

A B C
D E F
G H I
J K L
M N O
P Q R
S T U V
W X Y Z
1 2 3 4 5 6 7 8 9 10

A
B
C
D
E
F
G
H
I
J
K
L
M
N
O
P
Q
R
S
T
U
V
W
X
Y
Z
1
2
3
4
5
6
7

A B C
D E F
G H I
J K L
M N O
P Q R
S T U V
W X Y Z
1 2 3 4 5 6 7

A B C
D E F
G H I
J K L
M N O
P Q R
S T U V
W X Y Z
1 2 3 4 5 6 7 8 9

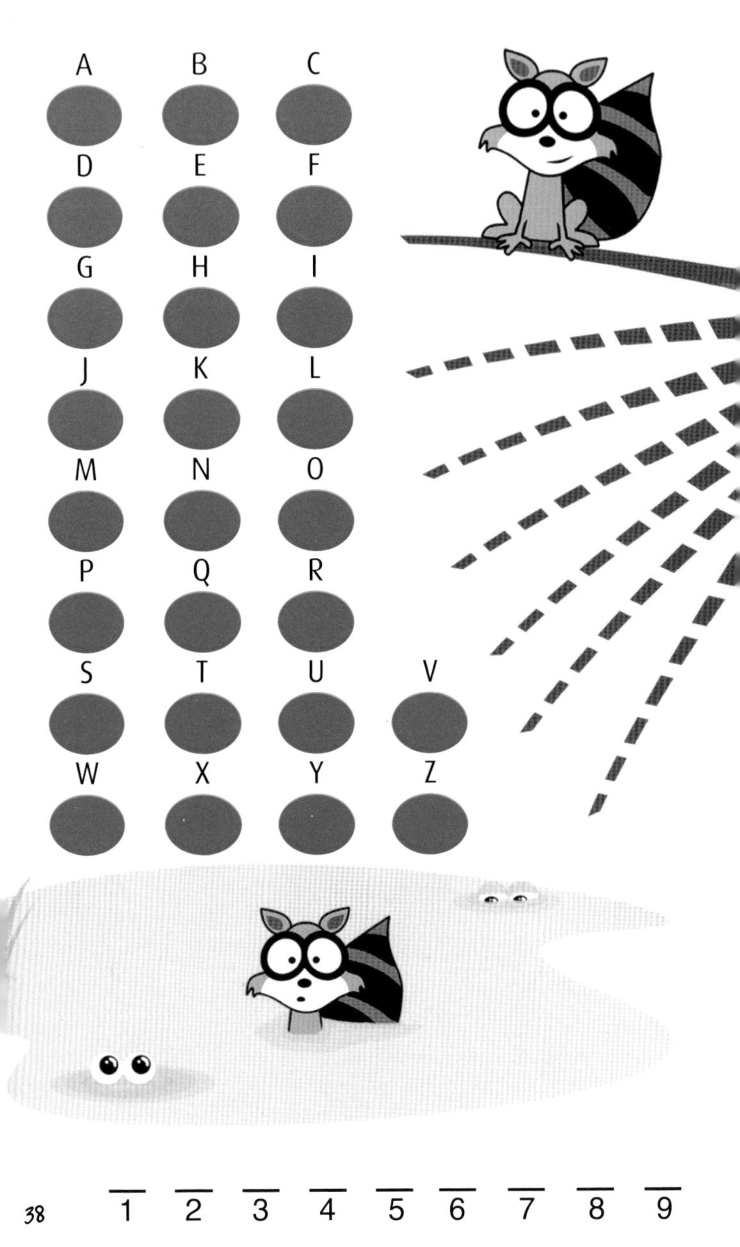
A
B
C
D
E
F
G
H
I
J
K
L
M
N
O
P
Q
R
S
T
U
V
W
X
Y
Z
1 2 3 4 5 6 7 8 9

A
B
C
D
E
F
G
H
I
J
K
L
M
N
O
P
Q
R
S
T
U
V
W
X
Y
Z
1 2 3 4 5 6 7 8

A B C
D E F
G H I
J K L
M N O
P Q R
S T U V
W X Y Z
1 2 3 4 5 6 7

A B C
D E F
G H I
J K L
M N O
P Q R
S T U V
W X Y Z
1 2 3 4 5 6 7 8 9

A
B
C
D
E
F
G
H
I
J
K
L
M
N
O
P
Q
R
S
T
U
V
W
X
Y
Z
1
2
3
4
5
6
7
8

A B C
D E F
G H I
J K L
M N O
P Q R
S T U V
W X Y Z
1 2 3 4 5 6

A
B
C
D
E
F
G
H
I
J
K
L
M
N
O
P
Q
R
S
T
U
V
W
X
Y
Z
1
2
3
4
5
6
7
8
9

A
B
C
D
E
F
G
H
I
J
K
L
M
N
O
P
Q
R
S
T
U
V
W
X
Y
Z
1
2
3
4
5
6
7

A
B
C
D
E
F
G
H
I
J
K
L
M
N
O
P
Q
R
S
T
U
V
W
X
Y
Z
1
2
3
4
5
6
7
8

A B C
D E F
G H I
J K L
M N O
P Q R
S T U V
W X Y Z
1 2 3 4 5 6 7 8

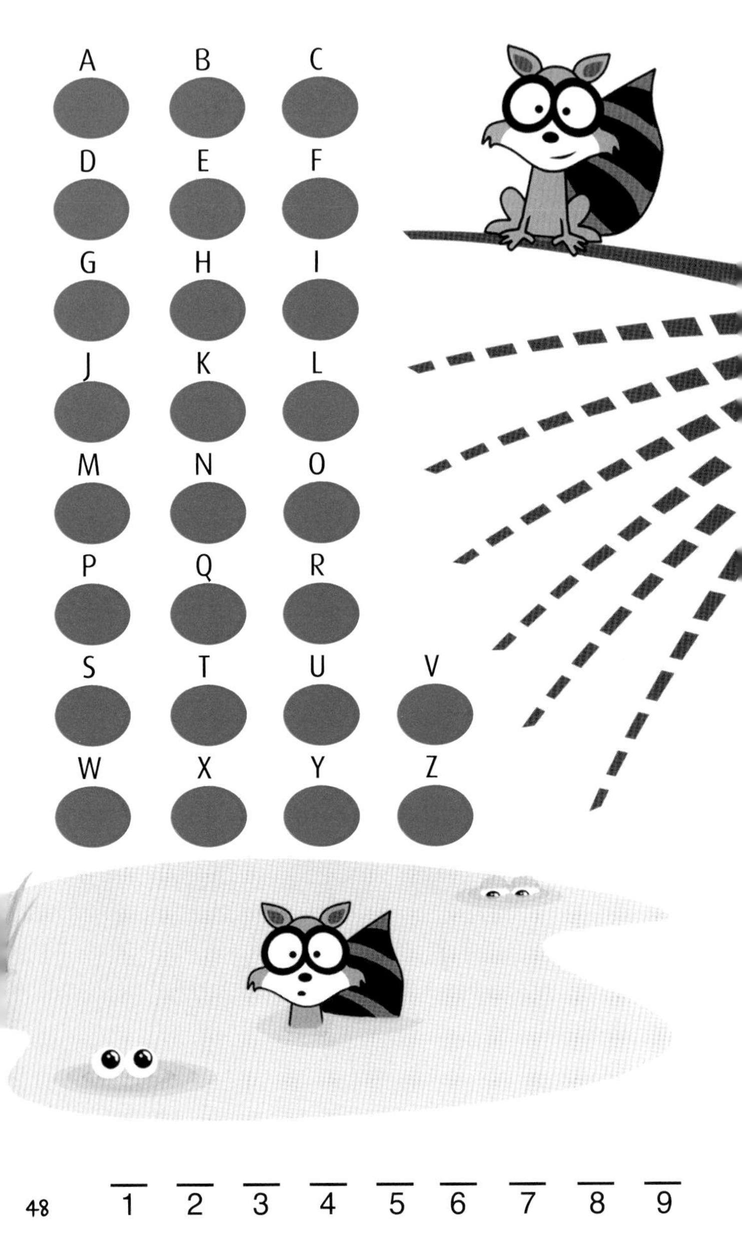
A
B
C
D
E
F
G
H
I
J
K
L
M
N
O
P
Q
R
S
T
U
V
W
X
Y
Z
1
2
3
4
5
6
7
8
9

A B C
D E F
G H I
J K L
M N O
P Q R
S T U V
W X Y Z
1 2 3 4 5 6 7 8

A B C
D E F
G H I
J K L
M N O
P Q R
S T U V
W X Y Z
1 2 3 4 5 6 7 8

A B C
D E F
G H I
J K L
M N O
P Q R
S T U V
W X Y Z
1 2 3 4 5 6 7

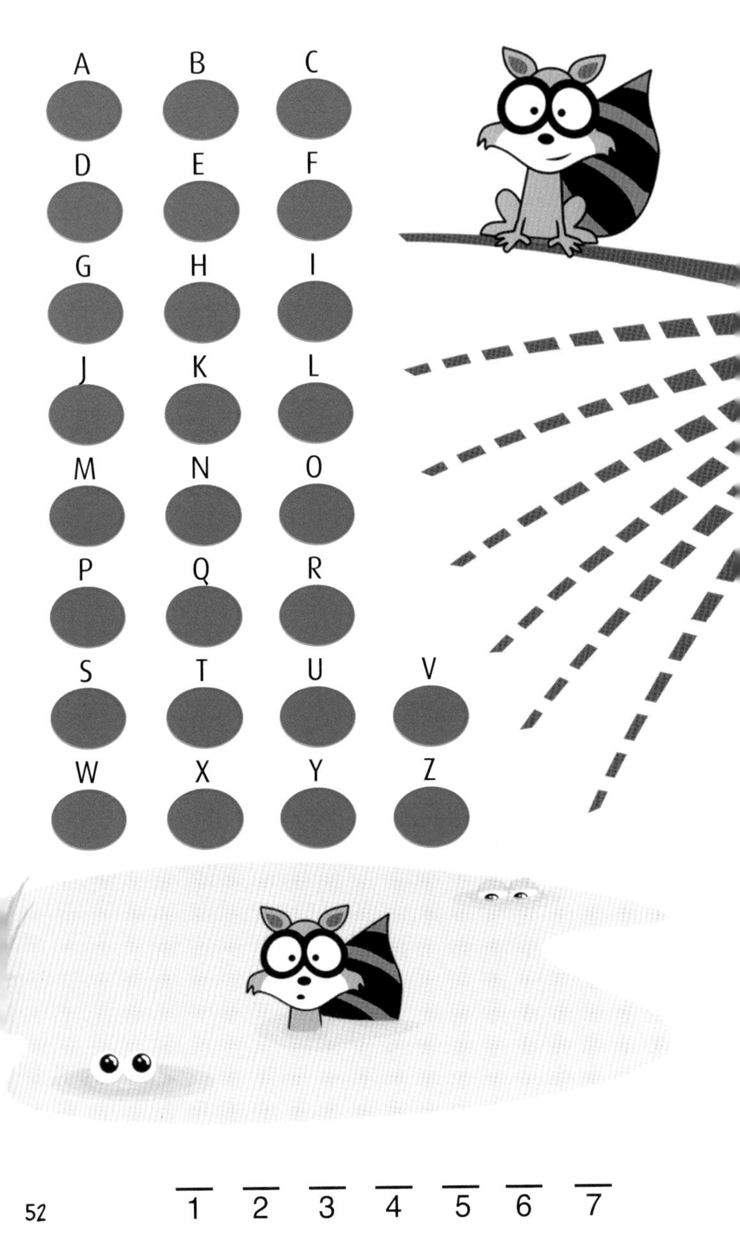
A
B
C
D
E
F
G
H
I
J
K
L
M
N
O
P
Q
R
S
T
U
V
W
X
Y
Z
1
2
3
4
5
6
7

A B C
D E F
G H I
J K L
M N O
P Q R
S T U V
W X Y Z
1 2 3 4 5 6 7 8

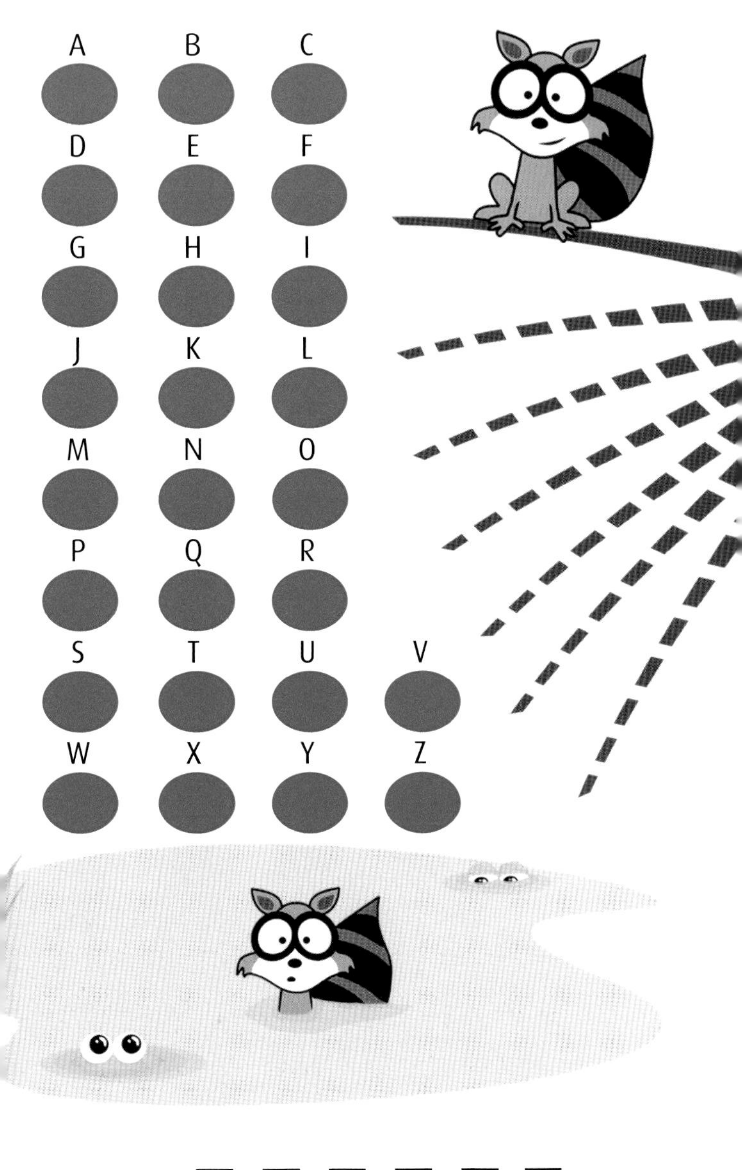
A B C
D E F
G H I
J K L
M N O
P Q R
S T U V
W X Y Z
1 2 3 4 5 6

A B C
D E F
G H I
J K L
M N O
P Q R
S T U V
W X Y Z
1 2 3 4 5 6 7

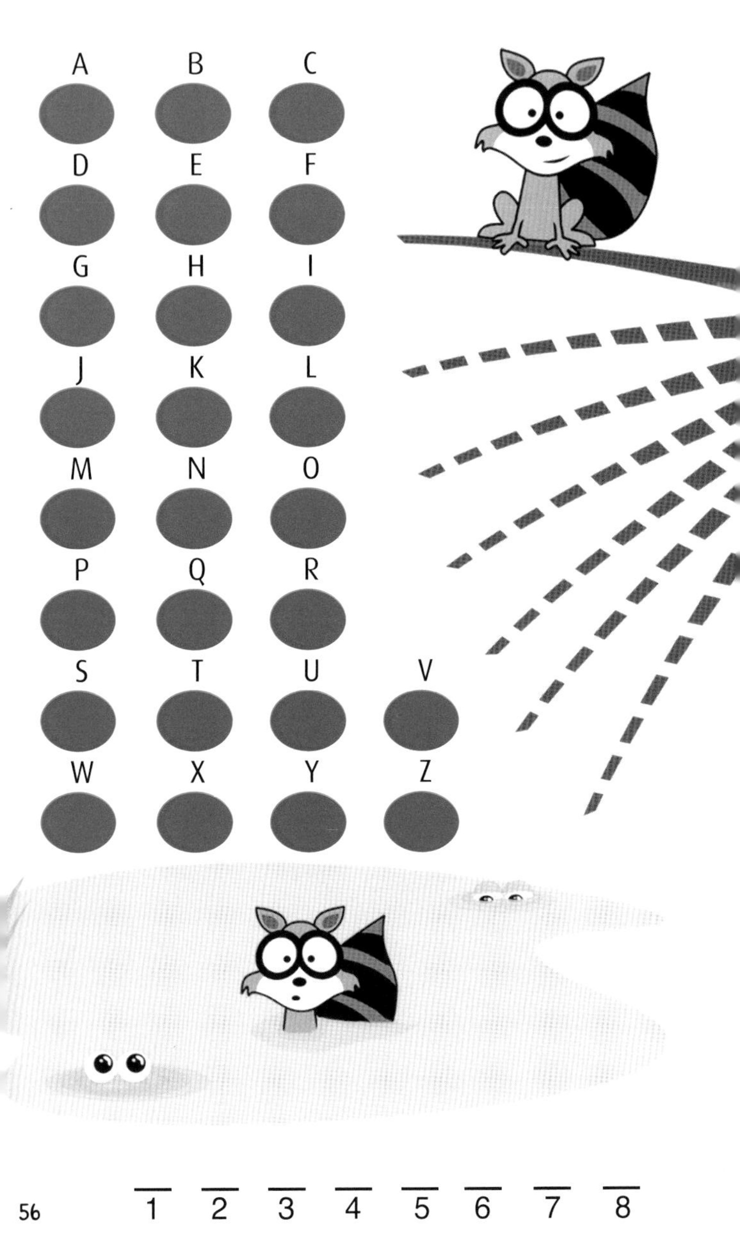
A
B
C
D
E
F
G
H
I
J
K
L
M
N
O
P
Q
R
S
T
U
V
W
X
Y
Z
1 2 3 4 5 6 7 8

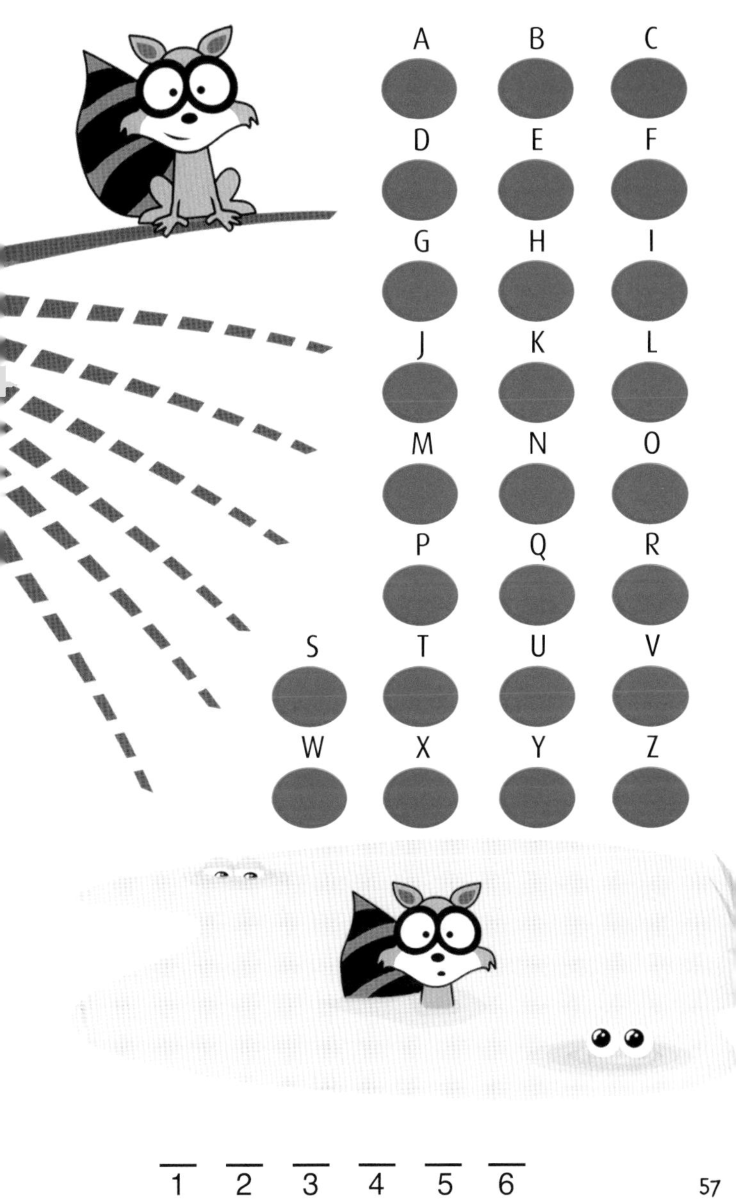
A B C
D E F
G H I
J K L
M N O
P Q R
S T U V
W X Y Z
1 2 3 4 5 6

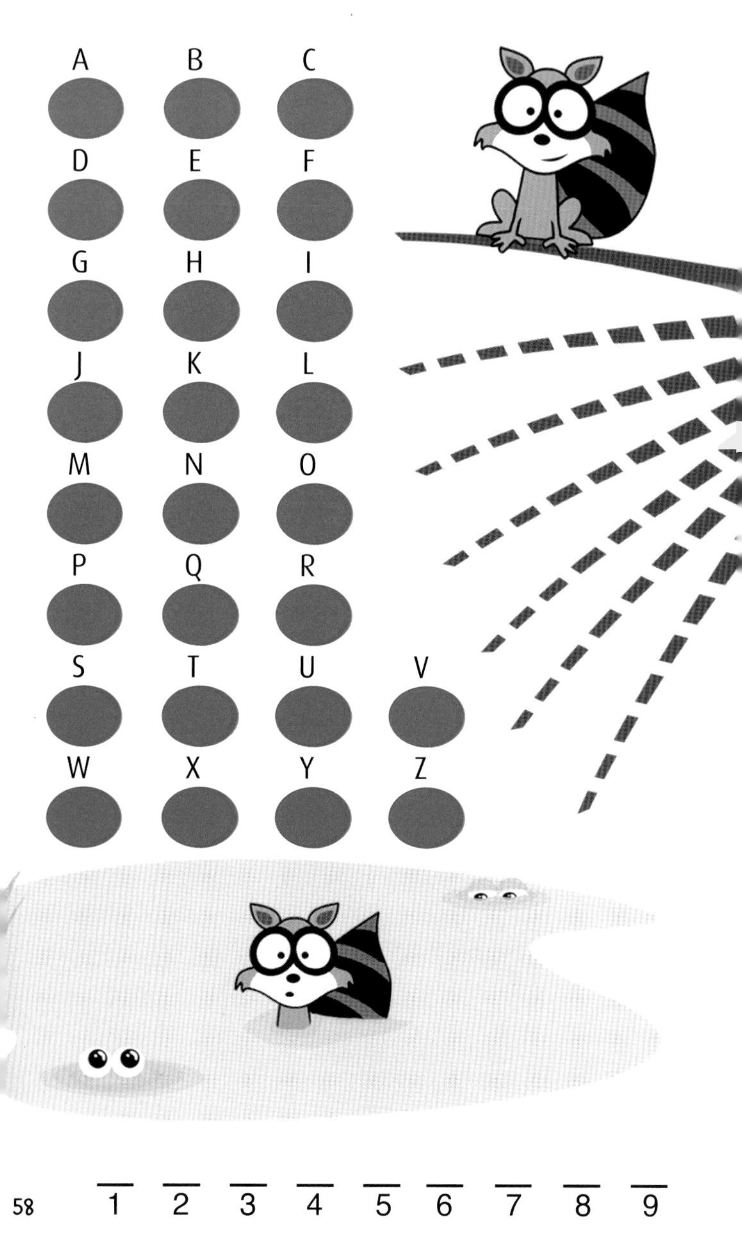
A
B
C
D
E
F
G
H
I
J
K
L
M
N
O
P
Q
R
S
T
U
V
W
X
Y
Z
1
2
3
4
5
6
7
8
9

A B C

D E F

G H I

J K L

M N O

P Q R

S T U V

W X Y Z

$\overline{1}$ $\overline{2}$ $\overline{3}$ $\overline{4}$ $\overline{5}$ $\overline{6}$ $\overline{7}$ $\overline{8}$

59

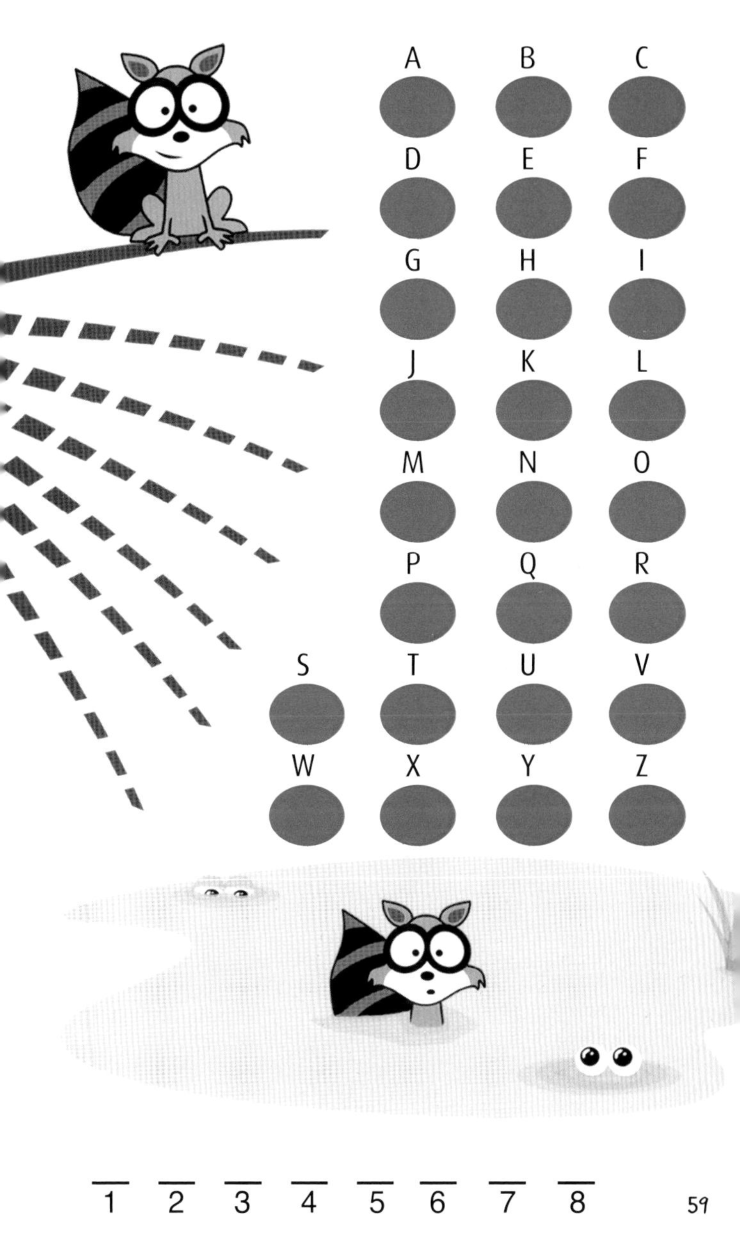

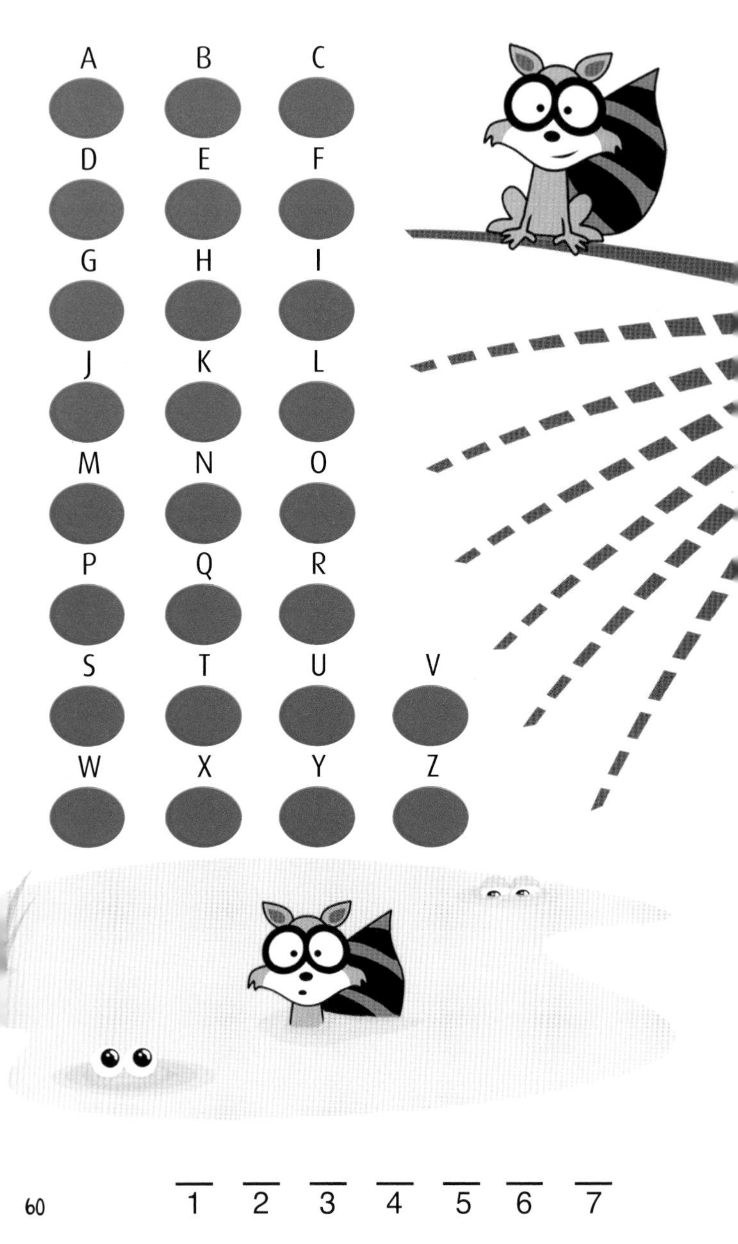
A B C
D E F
G H I
J K L
M N O
P Q R
S T U V
W X Y Z
1 2 3 4 5 6 7

A
B
C
D
E
F
G
H
I
J
K
L
M
N
O
P
Q
R
S
T
U
V
W
X
Y
Z
1
2
3
4
5
6
7

A B C
D E F
G H I
J K L
M N O
P Q R
S T U V
W X Y Z
1 2 3 4 5 6 7

A
B
C
D
E
F
G
H
I
J
K
L
M
N
O
P
Q
R
S
T
U
V
W
X
Y
Z
1
2
3
4
5
6
7
8
9

A
B
C
D
E
F
G
H
I
J
K
L
M
N
O
P
Q
R
S
T
U
V
W
X
Y
Z
1
2
3
4
5
6
7
8

A
B
C
D
E
F
G
H
I
J
K
L
M
N
O
P
Q
R
S
T
U
V
W
X
Y
Z
1 2 3 4 5 6 7 8

A B C
D E F
G H I
J K L
M N O
P Q R
S T U V
W X Y Z
1 2 3 4 5 6 7

A B C
D E F
G H I
J K L
M N O
P Q R
S T U V
W X Y Z
1 2 3 4 5 6 7

A B C
D E F
G H I
J K L
M N O
P Q R
S T U V
W X Y Z
1 2 3 4 5 6 7 8 9 10

A B C
D E F
G H I
J K L
M N O
P Q R
S T U V
W X Y Z
1 2 3 4 5 6 7 8

A B C
D E F
G H I
J K L
M N O
P Q R
S T U V
W X Y Z
1 2 3 4 5 6 7

A
B
C
D
E
F
G
H
I
J
K
L
M
N
O
P
Q
R
S
T
U
V
W
X
Y
Z
1 2 3 4 5 6

A B C
D E F
G H I
J K L
M N O
P Q R
S T U V
W X Y Z
1 2 3 4 5 6 7 8

A B C
D E F
G H I
J K L
M N O
P Q R
S T U V
W X Y Z
1 2 3 4 5 6 7

A B C
D E F
G H I
J K L
M N O
P Q R
S T U V
W X Y Z
1 2 3 4 5 6 7

A B C
D E F
G H I
J K L
M N O
P Q R
S T U V
W X Y Z
1 2 3 4 5 6 7 8 9

A B C
D E F
G H I
J K L
M N O
P Q R
S T U V
W X Y Z
1 2 3 4 5 6 7 8

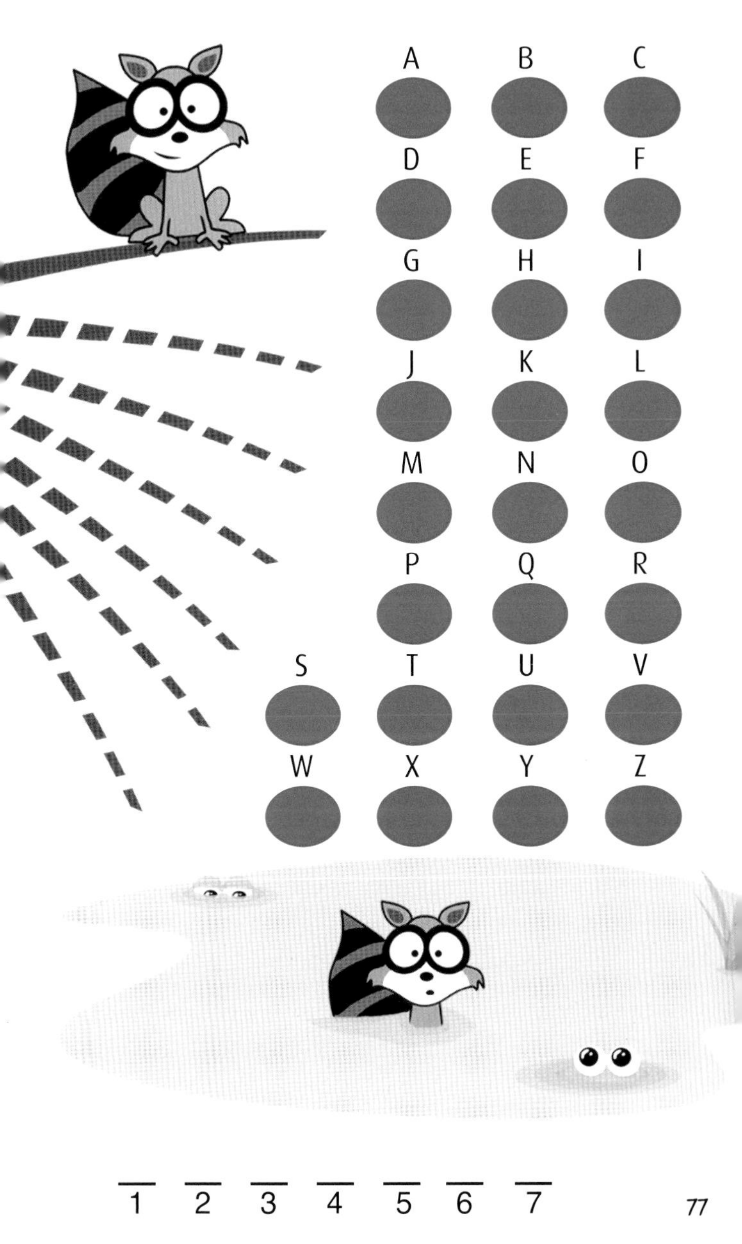
A B C
D E F
G H I
J K L
M N O
P Q R
S T U V
W X Y Z
1 2 3 4 5 6 7

A B C
D E F
G H I
J K L
M N O
P Q R
S T U V
W X Y Z
1 2 3 4 5 6 7 8

A
B
C
D
E
F
G
H
I
J
K
L
M
N
O
P
Q
R
S
T
U
V
W
X
Y
Z
1
2
3
4
5
6
7
8

A B C
D E F
G H I
J K L
M N O
P Q R
S T U V
W X Y Z
1 2 3 4 5 6 7

A
B
C
D
E
F
G
H
I
J
K
L
M
N
O
P
Q
R
S
T
U
V
W
X
Y
Z
1 2 3 4 5 6 7

A
B
C
D
E
F
G
H
I
J
K
L
M
N
O
P
Q
R
S
T
U
V
W
X
Y
Z
1 2 3 4 5 6

A B C
D E F
G H I
J K L
M N O
P Q R
S T U V
W X Y Z
1 2 3 4 5 6 7 8

A	B	C	
D	E	F	
G	H	I	
J	K	L	
M	N	O	
P	Q	R	
S	T	U	V
W	X	Y	Z

___ 1 ___ 2 ___ 3 ___ 4 ___ 5 ___ 6 ___ 7 ___ 8

A B C
D E F
G H I
J K L
M N O
P Q R
S T U V
W X Y Z
1 2 3 4 5 6 7 8

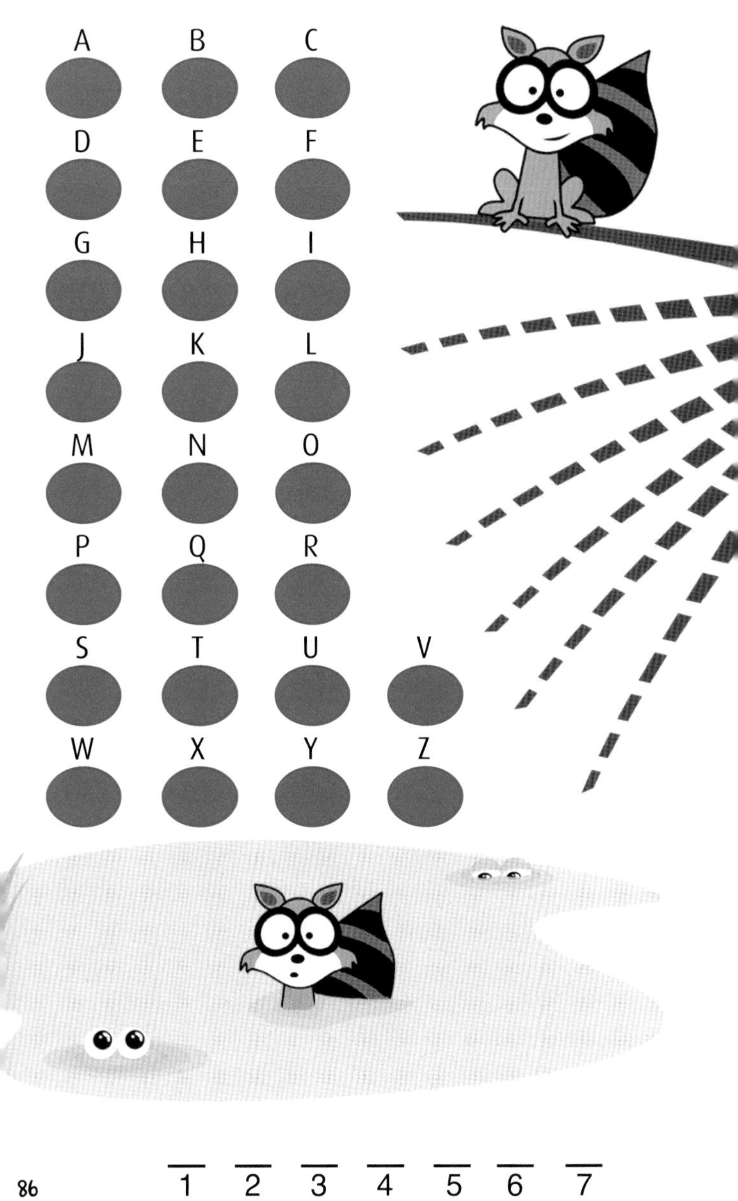
A B C
D E F
G H I
J K L
M N O
P Q R
S T U V
W X Y Z
1 2 3 4 5 6 7

A
B
C
D
E
F
G
H
I
J
K
L
M
N
O
P
Q
R
S
T
U
V
W
X
Y
Z
1
2
3
4
5
6
7

A
B
C
D
E
F
G
H
I
J
K
L
M
N
O
P
Q
R
S
T
U
V
W
X
Y
Z
1 2 3 4 5 6 7 8 9

A B C
D E F
G H I
J K L
M N O
P Q R
S T U V
W X Y Z
1 2 3 4 5 6 7

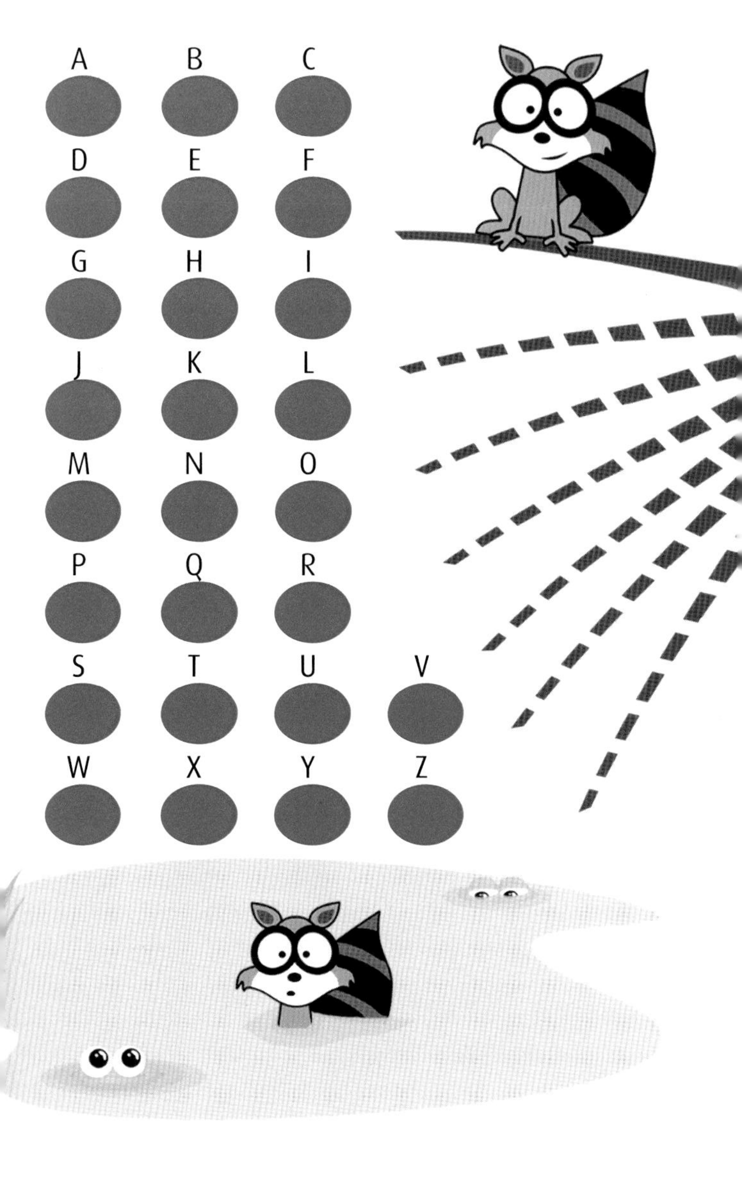
A B C
D E F
G H I
J K L
M N O
P Q R
S T U V
W X Y Z
1 2 3 4 5 6 7

A B C
D E F
G H I
J K L
M N O
P Q R
S T U V
W X Y Z
1 2 3 4 5 6 7

A B C
D E F
G H I
J K L
M N O
P Q R
S T U V
W X Y Z
1 2 3 4 5 6 7 8

A
B
C
D
E
F
G
H
I
J
K
L
M
N
O
P
Q
R
S
T
U
V
W
X
Y
Z
1 2 3 4 5 6

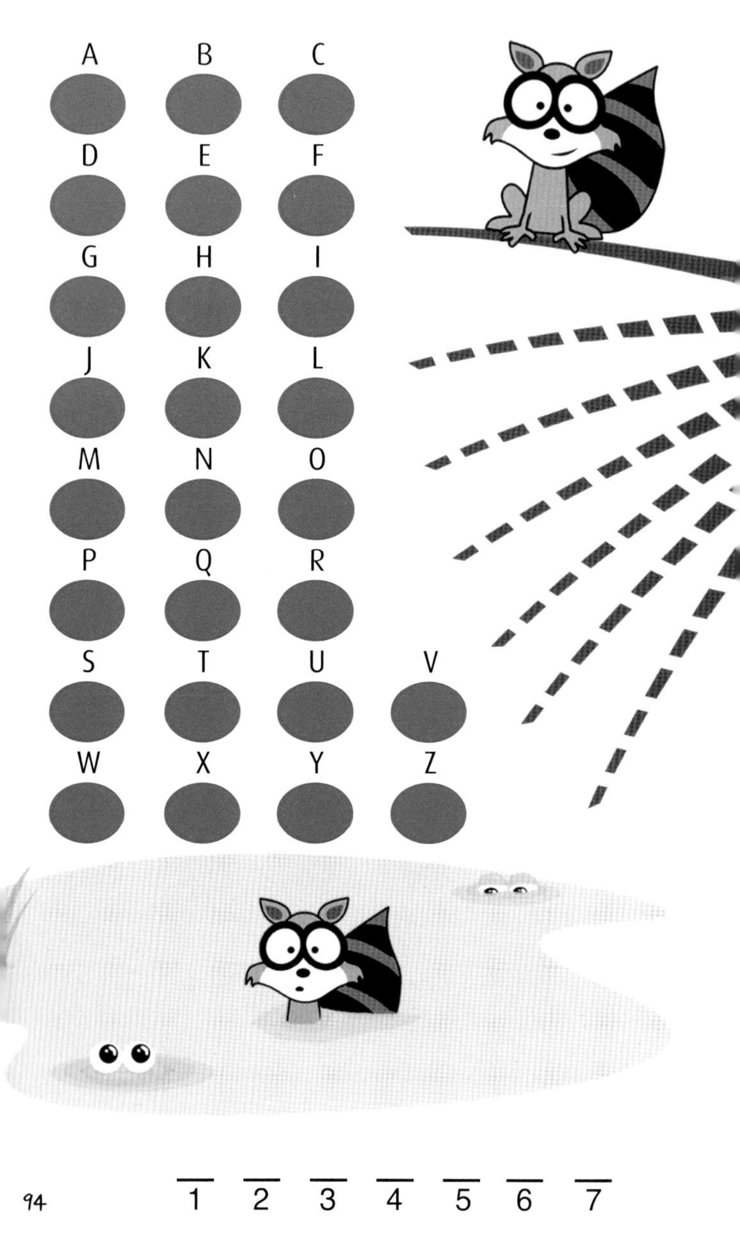
A B C
D E F
G H I
J K L
M N O
P Q R
S T U V
W X Y Z
1 2 3 4 5 6 7

A
B
C
D
E
F
G
H
I
J
K
L
M
N
O
P
Q
R
S
T
U
V
W
X
Y
Z
1 2 3 4 5 6 7

A B C
D E F
G H I
J K L
M N O
P Q R
S T U V
W X Y Z
1 2 3 4 5 6 7

A B C
D E F
G H I
J K L
M N O
P Q R
S T U V
W X Y Z
1 2 3 4 5 6

A B C

D E F

G H I

J K L

M N O

P Q R

S T U V

W X Y Z

$\overline{\text{1}}$ $\overline{\text{2}}$ $\overline{\text{3}}$ $\overline{\text{4}}$ $\overline{\text{5}}$ $\overline{\text{6}}$ $\overline{\text{7}}$

A
B
C
D
E
F
G
H
I
J
K
L
M
N
O
P
Q
R
S
T
U
V
W
X
Y
Z
1
2
3
4
5
6
7
8

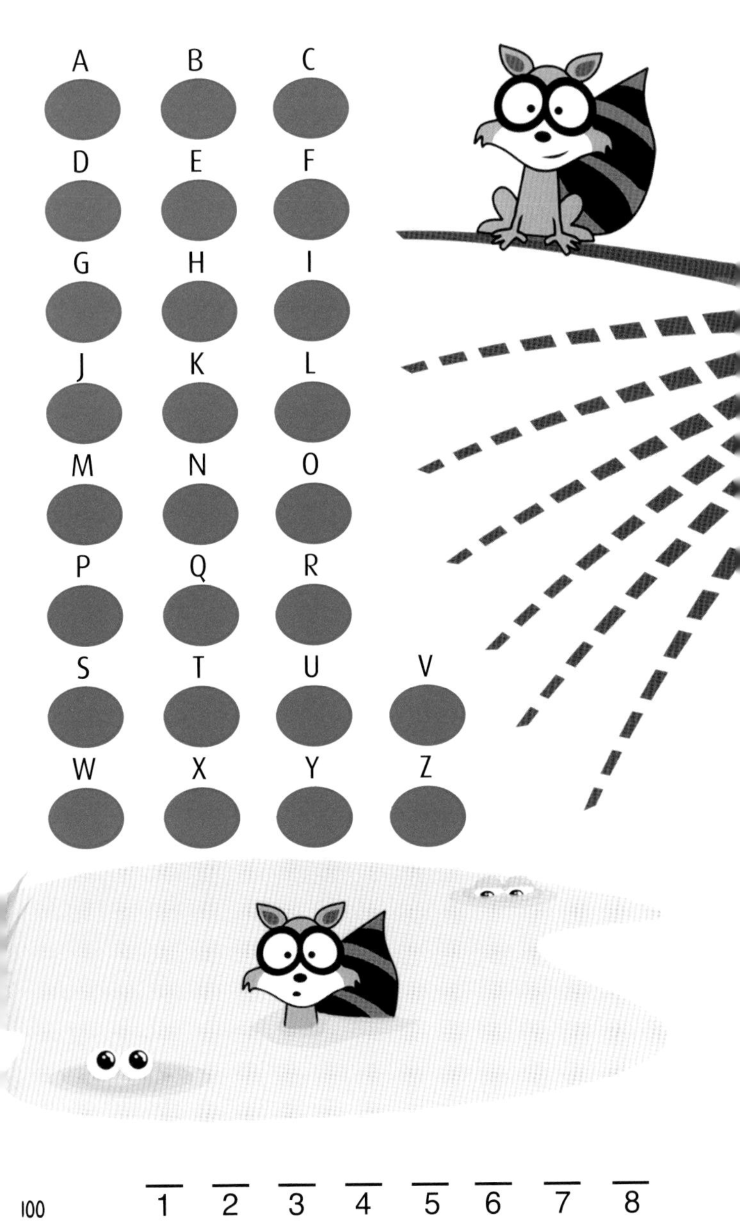
A
B
C
D
E
F
G
H
I
J
K
L
M
N
O
P
Q
R
S
T
U
V
W
X
Y
Z
1
2
3
4
5
6
7
8

A
B
C
D
E
F
G
H
I
J
K
L
M
N
O
P
Q
R
S
T
U
V
W
X
Y
Z
1 2 3 4 5 6 7 8

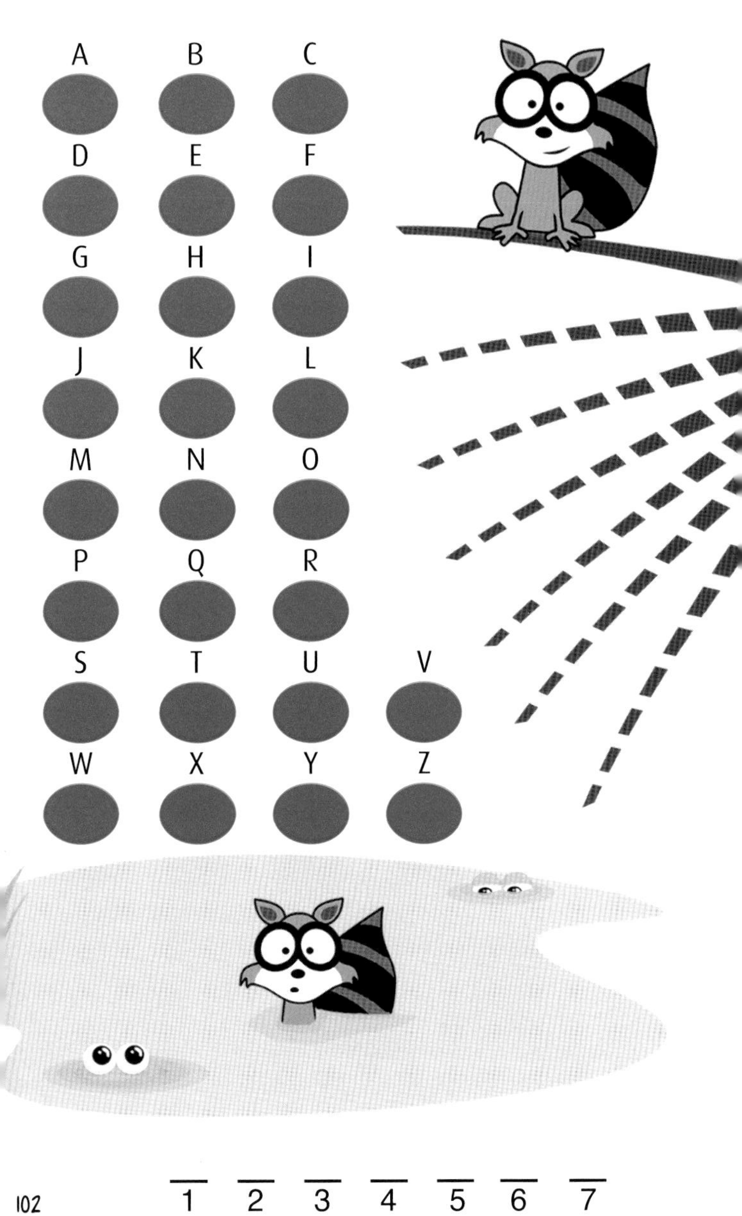
A
B
C
D
E
F
G
H
I
J
K
L
M
N
O
P
Q
R
S
T
U
V
W
X
Y
Z
1
2
3
4
5
6
7

A B C
D E F
G H I
J K L
M N O
P Q R
S T U V
W X Y Z
1 2 3 4 5 6

A B C
D E F
G H I
J K L
M N O
P Q R
S T U V
W X Y Z
1 2 3 4 5 6 7

A B C
D E F
G H I
J K L
M N O
P Q R
S T U V
W X Y Z
1 2 3 4 5 6

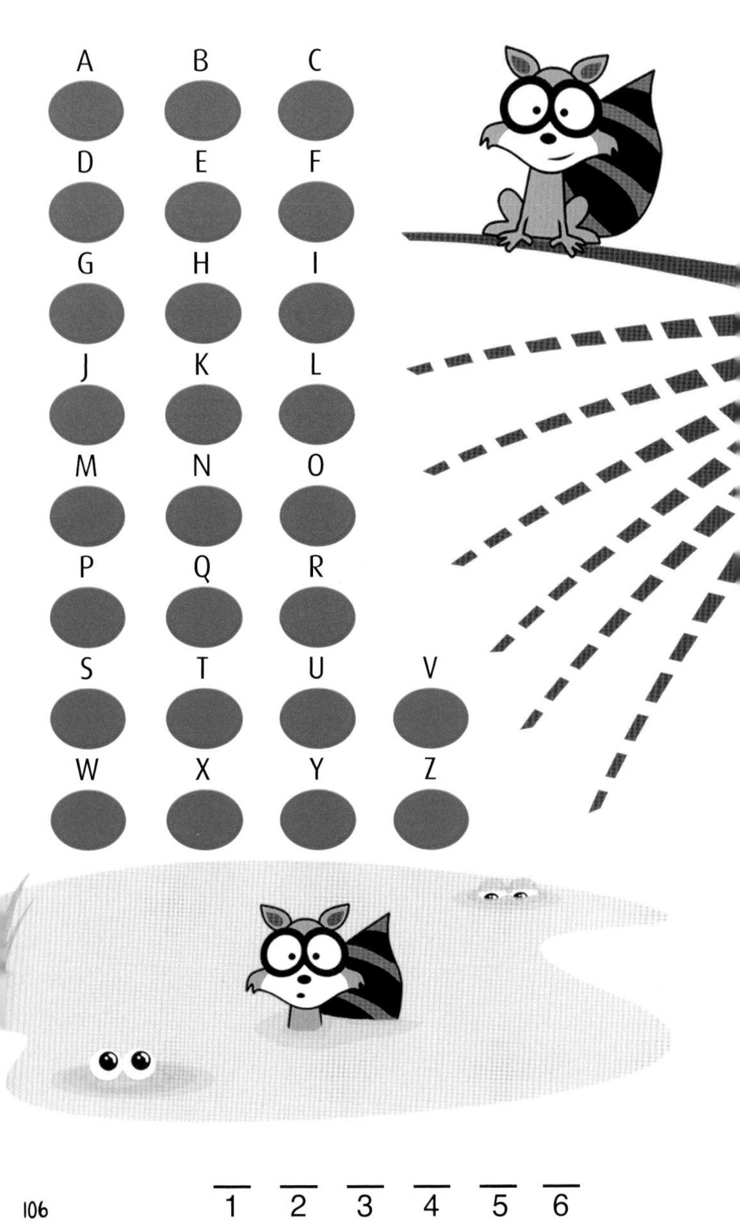
A B C
D E F
G H I
J K L
M N O
P Q R
S T U V
W X Y Z
1 2 3 4 5 6

A
B
C
D
E
F
G
H
I
J
K
L
M
N
O
P
Q
R
S
T
U
V
W
X
Y
Z
1
2
3
4
5
6

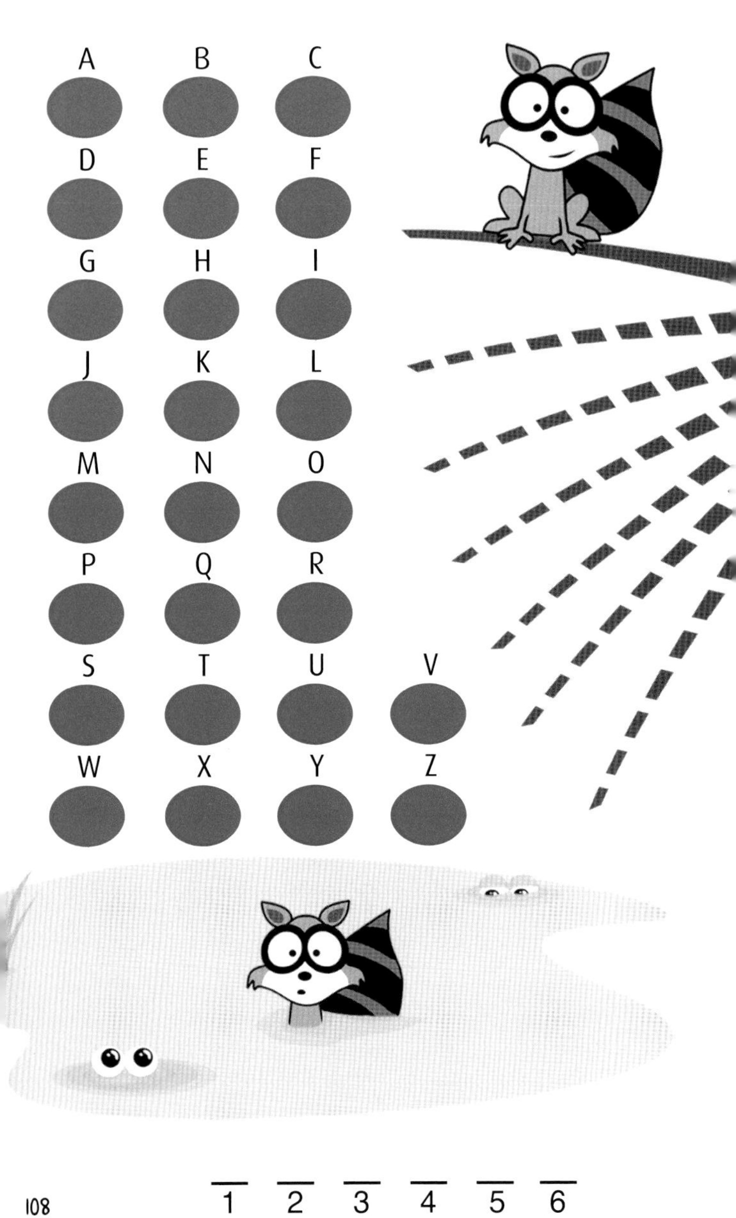
A B C
D E F
G H I
J K L
M N O
P Q R
S T U V
W X Y Z
1 2 3 4 5 6

A B C
D E F
G H I
J K L
M N O
P Q R
S T U V
W X Y Z
1 2 3 4 5 6

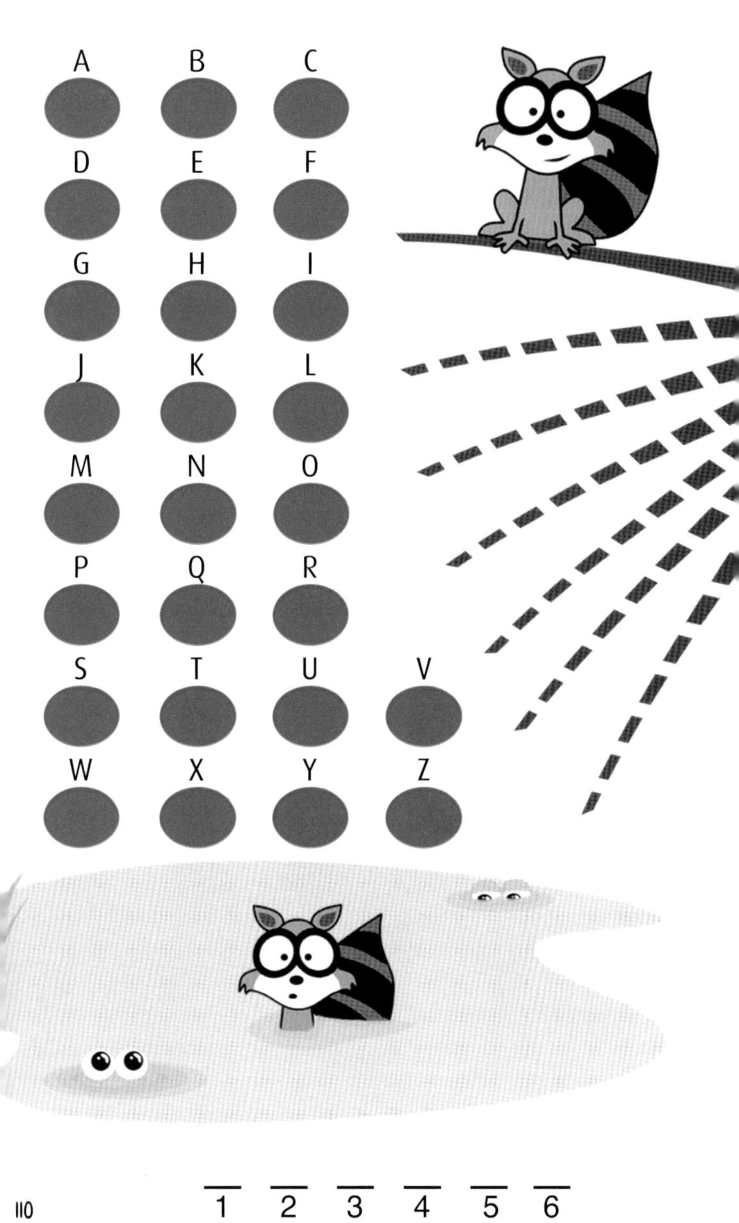
A
B
C
D
E
F
G
H
I
J
K
L
M
N
O
P
Q
R
S
T
U
V
W
X
Y
Z
1
2
3
4
5
6

A B C
D E F
G H I
J K L
M N O
P Q R
S T U V
W X Y Z
1 2 3 4 5

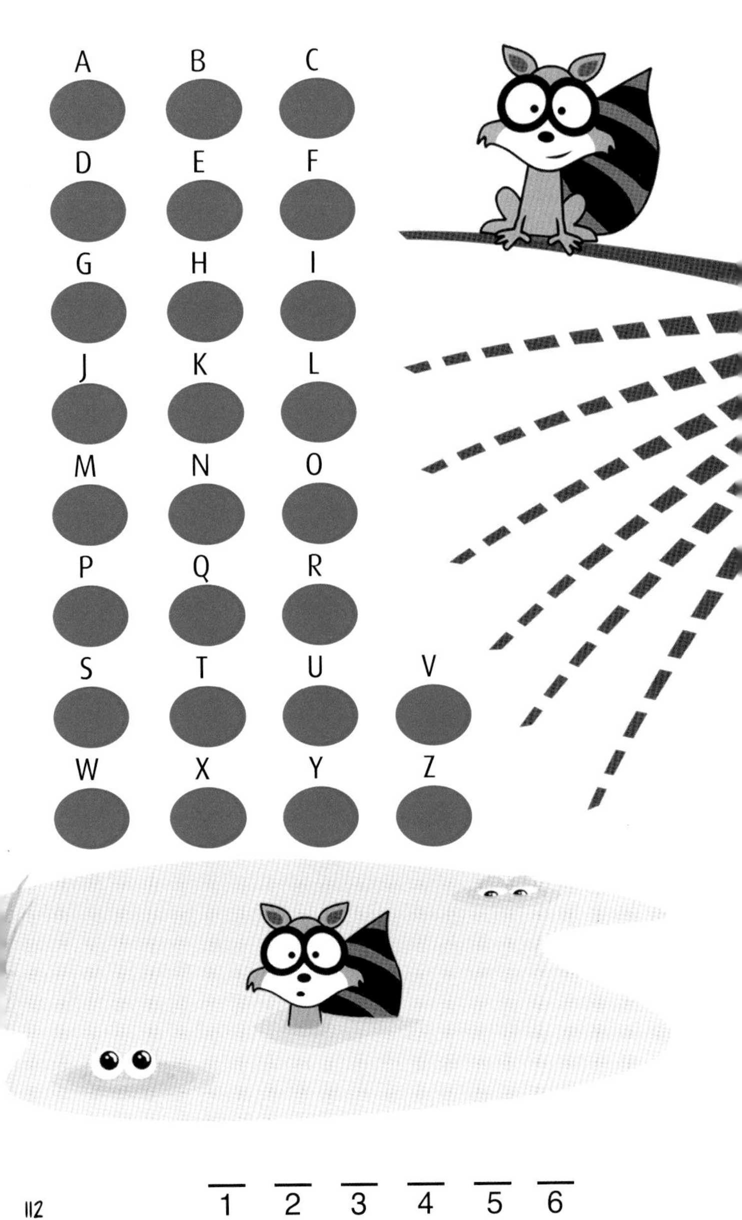
A B C
D E F
G H I
J K L
M N O
P Q R
S T U V
W X Y Z
1 2 3 4 5 6

A B C
D E F
G H I
J K L
M N O
P Q R
S T U V
W X Y Z
1 2 3 4 5 6 7 8

A
B
C
D
E
F
G
H
I
J
K
L
M
N
O
P
Q
R
S
T
U
V
W
X
Y
Z
1
2
3
4
5
6
7
8
9

A
B
C
D
E
F
G
H
I
J
K
L
M
N
O
P
Q
R
S
T
U
V
W
X
Y
Z
1
2
3
4
5
6
7
8
9

A
B
C
D
E
F
G
H
I
J
K
L
M
N
O
P
Q
R
S
T
U
V
W
X
Y
Z
1
2
3
4
5
6
7
8
9

A B C
D E F
G H I
J K L
M N O
P Q R
S T U V
W X Y Z
1 2 3 4 5 6 7 8 9

A B C
D E F
G H I
J K L
M N O
P Q R
S T U V
W X Y Z
1 2 3 4 5 6 7 8 9

A B C
D E F
G H I
J K L
M N O
P Q R
S T U V
W X Y Z
1 2 3 4 5 6 7 8

A B C
D E F
G H I
J K L
M N O
P Q R
S T U V
W X Y Z
1 2 3 4 5 6 7

A B C
D E F
G H I
J K L
M N O
P Q R
S T U V
W X Y Z
1 2 3 4 5 6 7 8 9

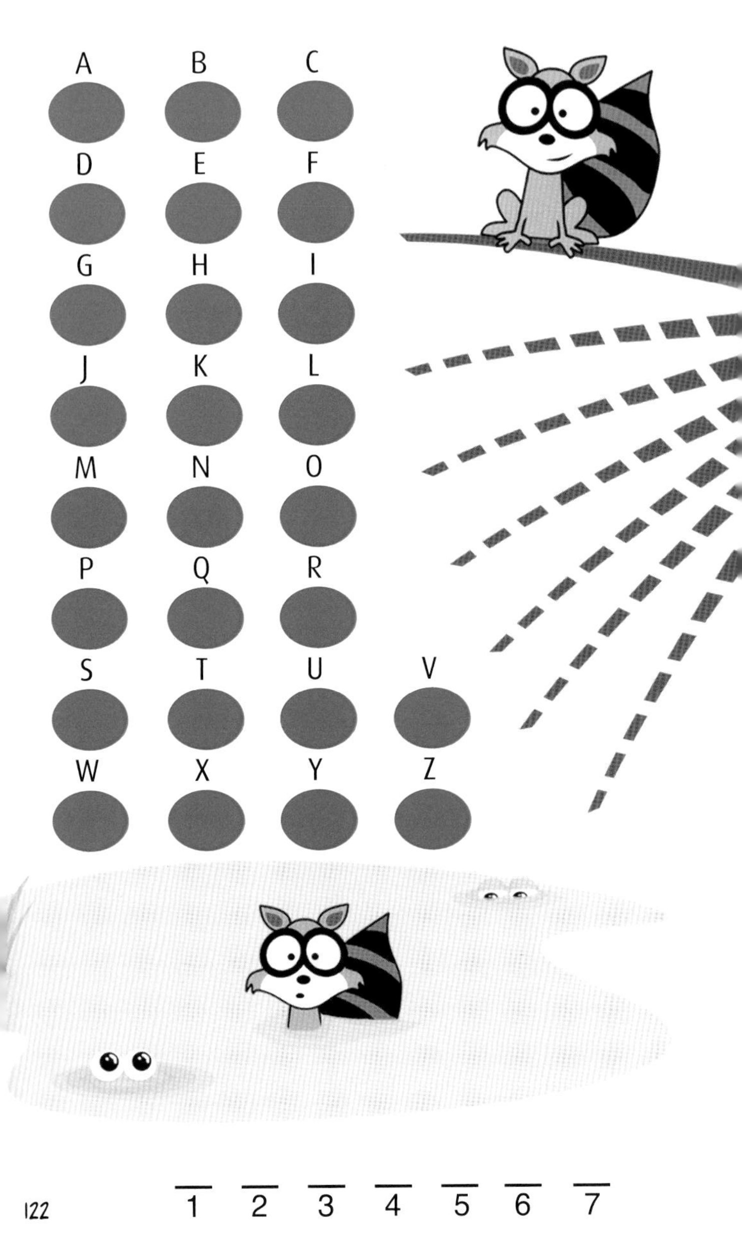
A
B
C
D
E
F
G
H
I
J
K
L
M
N
O
P
Q
R
S
T
U
V
W
X
Y
Z
1
2
3
4
5
6
7

A B C
D E F
G H I
J K L
M N O
P Q R
S T U V
W X Y Z
1 2 3 4 5 6 7

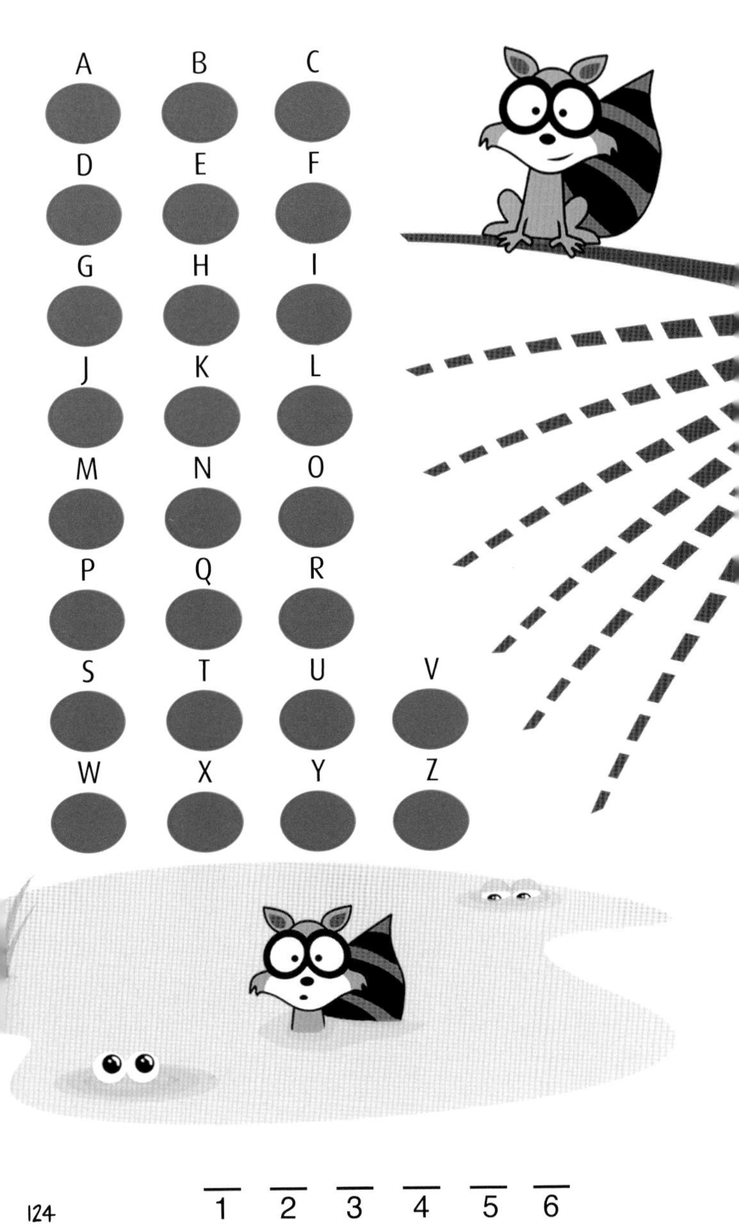
A
B
C
D
E
F
G
H
I
J
K
L
M
N
O
P
Q
R
S
T
U
V
W
X
Y
Z
1
2
3
4
5
6

A B C
D E F
G H I
J K L
M N O
P Q R
S T U V
W X Y Z
1 2 3 4 5 6

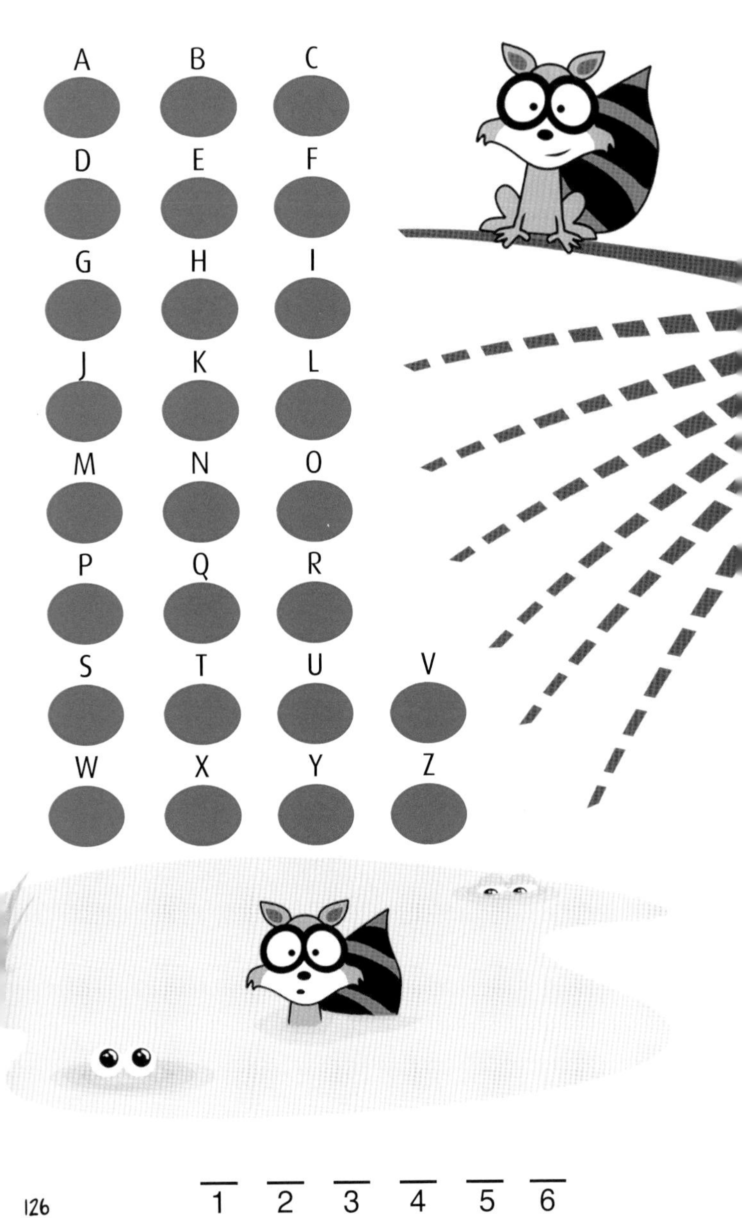
A B C
D E F
G H I
J K L
M N O
P Q R
S T U V
W X Y Z
1 2 3 4 5 6

A
B
C
D
E
F
G
H
I
J
K
L
M
N
O
P
Q
R
S
T
U
V
W
X
Y
Z
1
2
3
4
5
6
7

A B C
D E F
G H I
J K L
M N O
P Q R
S T U V
W X Y Z
1 2 3 4 5 6 7